Ilja Leonard Pfeijffer

Monterosso mon amou

een novelle

Stichting Collectieve
Propaganda van het
Nederlandse Boek

Copyright © 2022 Ilja Leonard Pfeijffer
Uitgave Stichting CPNB
Redactie Uitgeverij De Arbeiderspers
Omslagontwerp Stephan Vanfleteren, Tim Bisschop
Foto omslag Stephan Vanfleteren
Typografie Nico Richter
Druk- en bindwerk GGP Media

ISBN 978 90 5965 878 3
NUR 301

iljapfeijffer.com
arbeiderspers.nl
boekenweek.nl

ⓕ @Boekenweek
ⓨ @Boekenweek
ⓞ @boekenweeknl

#eenboekkanzoveeldoen

I

Wordt ontevredenheid tevredenheid als je je erbij neer-
legt? De laatste tijd betrapt Carmen zich erop dat zij zich
op verloren momenten, wanneer ze alleen thuis is of wanneer ze in de bibliotheek tussen twee vergaderingen door
haar bureau opruimt, steeds vaker dit soort onmogelijke vragen stelt. Zo kan het voorkomen dat zij, nadat ze de werkster
heeft betaald en begroet en plaatsvervangend moe op de
bank ploft voor haar middagsherry, opeens zonder praktische aanleiding begint na te denken over de vraag of gewen-
ning een overlevingsstrategie is die een evolutionair voordeel biedt. Vorige week, toen een van de vriendinnen van
haar leesclubje Anna Karenina noemde, herinnerde zij zich
de beroemde openingszin van die roman, waarin wordt be-
weerd dat alle gelukkige families eender zijn maar dat elke
ongelukkige familie ongelukkig is op haar eigen manier, en
ze miste vervolgens een groot deel van de discussie omdat ze
het niet kon helpen om zich af te vragen of dat waar was en
om vervolgens te stranden in gedachten over de vraag of ge-
luk en ongeluk wel als familieaangelegenheden kunnen worden beschouwd. En toen ze gisteren de subsidieaanvragen
aan het archiveren was, dacht ze aan Nietzsche, aan wie ze
sinds haar wilde jaren in Amsterdam niet meer had gedacht,
en aan zijn uitspraak, als ze het zich tenminste goed herinnert dat die van Nietzsche was, dat vrijwel alles valt te ver-
dragen als je een doel hebt in je leven.

Zo vraagt ze zich nu af wat verloren momenten zijn. Als
alle momenten als confetti op de ochtend na het feest door

de tijd worden opgeveegd en geen enkel ogenblik op de on- stuitbare teloorgang kan worden herwonnen, hoe kunnen sommige momenten dan meer verloren zijn dan andere? Elk uur wordt ze een uur ouder, ongeacht of ze energiek voor- uitblikt of melancholisch over vroeger mijmert, en het ge- volg daarvan is dat er steeds minder is om naar uit te kijken en steeds meer vroeger om te betreuren. Wanneer mensen van verloren momenten spreken, bedoelen ze momenten die niet bijdragen aan de doelstellingen die ze voor zichzelf hebben uitgestippeld, maar als je dat gedoe met doelen hebt opgegeven, is er geen grond meer om verloren ogenblikken van welbestede tijd te onderscheiden. Of bedoelen mensen dat momenten waarop zij zich laten afdrijven op de lome stroom van zachtjes klotsende gedachten verloren zijn? In dat geval kan Carmens leven in toenemende mate als verlo- ren worden beschouwd.

Ze wil zich nog eens inschenken, maar bedenkt zich dan. Zo kan ze niet beginnen. Ze doet de dop terug op de fles en zet hem terug in de berging onder de trap, waar ze haar sher- ryvoorraad bewaart. Ze loopt naar de keuken om heldhaf- tig een flinke pot thee te gaan zetten.

2

Ze voelt zich oud, want ze houdt van lezen. Het gegeven dat haar belangstellingen en de obsessies van de wereld steeds meer uiteenlopen, wijt ze aan de wereld, maar ze is niet ach- terlijk, hoewel ze soms een zekere naïviteit acteert, vooral in het gezelschap van Rob, omdat ze weet dat hij zich graag verantwoordelijk voelt en omdat het dingen gemakkelijker maakt, en als ze zichzelf dwingt om serieus te zijn, beseft ze donders goed dat het een typisch symptoom is van de zo gehate veroudering om de veroudering te haten en de wereld haar voortgang te verwijten. Zij is het die steeds moeilijker meekomt en om zichzelf een houding te geven maakt ze zichzelf dan maar wijs dat ze niet mee wil omdat de richting die de geschiedenis is ingeslagen haar niet bevalt.

Ze heeft de neiging om zichzelf onmiddellijk te corrigeren: het is niet waar dat ze niet meer meekomt, stel je voor, de gedachte alleen al, het feit is alleen dat het haar steeds minder interesseert om zich op te winden over al die details. Ze leest het avondblad. Eigenlijk had ze liever een ochtendkrant gehad, omdat nieuws 's ochtends wanneer je de hele dag nog voor je hebt minder serieus lijkt dan bij de melancholie van de avond, maar Rob hecht aan zijn gewoonten en ze kent hem goed genoeg om te weten dat ze hem geen plezier zou doen door hem voor te stellen hun krantenabonnement te wijzigen. Ze houdt de boekrecensies bij voor de bibliotheek en leest plichtsgetrouw het binnenlandse en internationale nieuws, maar waar ze vroeger tijdens haar wilde jaren in Amsterdam authentieke woede kon ervaren bij van alles en nog wat en vooral bij onrecht dat vrouwen werd aangedaan, heeft ze nu de vervreemdende ervaring dat mondiale ontwikkelingen en de glimpen die dagelijks worden geboden op een in theorie verontrustende toekomst haar eigenlijk weinig meer kunnen schelen. Ze leest liever boeken, echte boeken, waarin geflirt wordt met de grote vragen die zij zichzelf steeds vaker stelt, waarin de actualiteit zich niet bij voortduring hinderlijk op de voorgrond probeert te dringen als een om aandacht jengelende smartphone en waarin een verhaal wordt verteld.

Vooral dat laatste. Carmen heeft honger naar verhalen. Wanneer ze leest en wanneer de roman haar aangrijpt, heeft ze soms de sensatie dat ze onder de tijd kruipt. In die termen heeft ze het een keer ter sprake gebracht bij de vriendinnen van haar leesclubje, maar ook toen lukte het niet om goed uit te leggen wat ze bedoelde. Ze herinnert zich haar eerste vakantie aan de Middellandse Zee, lang geleden, met haar ouders in Monterosso, en haar ontroering over de ontdekking dat het water zo helder was dat ze de bodem kon zien. In goede romans worden verwaterde emoties zo helder gemaakt dat je opeens weer kunt zien hoe diep ze zijn. Wie onder water zwemt, vergeet de rimpelingen aan de oppervlakte en bevindt zich in een driedimensionale wereld. Zo is het om onder de misselijkmakende golfslag van de tijd te duiken en de oppervlakkigheid te vergeten van de almaar draaiende winden van dagelijkse beslommeringen. Klinkt dat pompeus? Het kan haar weinig schelen hoe het klinkt, want het is zo. De laatste tijd heeft ze steeds minder zin om de dingen anders te zeggen dan ze zijn uit angst voor de indruk die ze daarmee achterlaat en daar is ze trots op. Beter laat dan nooit. Ze houdt van zwemmen. Ze heeft haar eerste zoen onder water gekregen, lang geleden, in Monterosso, en ze kan zich tot op de dag van vandaag herinneren hoe helder de zee was en hoe diep. De enige reden waarom ze naar adem happend weer aan de oppervlakte was verschenen, was de fantasieloze praktijk, die niet in kieuwen wilde voorzien en evenmin in ouders die begrepen dat de vakantie bedoeld was om eeuwig te duren. En daar bevindt ze zich nu nog, in de fantasieloze praktijk. Ze mist de diepte van de zee, maar Rob houdt niet van zwemmen. Hij leest non-fictie, als hij al leest, omdat hij, hoewel hij alle tijd heeft, zijn tijd niet wil verspillen en omdat hij het nut niet inziet van emoties als hij in dezelfde tijd ook opinies kan hebben. Ze gaan zelden op vakantie, omdat ze vroeger zoveel hebben gereisd, wat voor hem een argument is, dus zo staan de zaken ervoor.

Het maakt haar niet uit of het verhaal goed of slecht afloopt, als het maar klopt. Een open einde, waarbij de hele
heisa van daden en bedenkingen, gebeurtenissen en consequenties, eigenschappen en ontwikkelingen nergens op uitloopt, irriteert haar, want dat kent ze al uit de praktijk. Verhalen zijn voor haar een manier om grip te krijgen op het
zogenaamde echte leven met al zijn ongeloofwaardige plot-
wendingen en in plaats van een waarheidsgetrouwe kopie
van de zinloze werkelijkheid ('kopie conform origineel', zo
heette dat op de ambassade) wil ze de kunstige constructie
van een alternatief dat laat zien hoe het leven met stijl ge-
leefd zou kunnen worden als een betekenisvolle spannings-
boog met een duidelijke richting, desnoods naar de afgrond.
De realiteit is vormeloos en gespeend van iedere vorm van
betekenis, dus om te begrijpen wat het betekent om mens
te zijn in deze wereld is het noodzakelijk zich te verplaatsen
in vertellingen die zin suggereren en vorm aanbrengen in de
chaos. De natuur creëert lichamen en het zijn verhalen die
daar mensen van maken.

Carmen begrijpt heel goed dat haar lectuur een vorm van
escapisme is, of misschien beter gezegd een vorm van com-
pensatie. Ze leeft de verzonnen levens mee van fictieve personages en klampt zich vast aan hun verhalen zoals een ban-
neling zich vastklampt aan dierbare herinneringen, wat ze
overigens niet dramatischer wil voorstellen dan het is.

3

Sinds zijn vervroegde pensioen wonen Carmen en Rob in
een comfortabele woning in de aantrekkelijke, middelgro-

te Nederlandse gemeente L*** met delicatessenwinkels binnen handbereik. Ze hebben iemand die de tuin doet. Carmen werkt enkele uren per week in de Openbare Bibliotheek van voornoemde gemeente L***, waar zij verantwoordelijk is voor de organisatie van culturele evenementen. Ze doet de subsidieaanvragen en nodigt schrijvers uit, die ze op de avond zelf ontvangt met een kop koffie en begeleidt. Ze probeert altijd verrassende combinaties tot stand te brengen met lokale muzikanten en de ene keer lukt dat beter dan de andere. De voorleesochtenden voor de jeugd zijn een succes, daar krijgt ze soms echt hartverwarmende reacties op. Haar inclusieve lezingenreeks van debutanten, iedere tweede woensdag van de maand, wordt ook steeds beter bezocht, daar is ze best trots op. De Boekenweek en de Kinderboekenweek zijn natuurlijk extra drukke tijden voor haar. Het is onbezoldigd werk, maar dat geeft haar meer vrijheid. En cultuur is belangrijk. Om het voor te zijn dat anderen haar zo noemen, noemt ze zichzelf bibliotheekmoeder. Dat zegt ze met een knipoog. Ze is geen moeder.

Ze hebben het wel geprobeerd, zoals dat heet. Toen Carmen en Rob pas waren getrouwd, lag het voor beiden in de lijn der verwachting dat er ook kinderen zouden komen. Carmen had toen haar winkel in Amsterdam nog, die ze tijdens haar studie Nederlands samen met haar jaargenote Vera was begonnen en die daarom aanvankelijk Cave heette, met een hondje als logo, en later, omdat iedereen die naam toch al uitsprak als het Engelse woord voor 'grot', werd omgedoopt tot The Cave. Het was een boekwinkel die was gespecialiseerd in feministische literatuur. Nadat Vera zich had laten uitkopen, heeft Carmen The Cave nog enkele jaren alleen gerund zonder de naam te veranderen. Niemand snapte het hondje, maar ook het logo liet zij ongemoeid. Hoewel ze de boeken las die ze verkocht, of beter gezegd de boeken verkocht die ze las, en hoewel ze zichzelf zonder enige reserve beschouwde als een overtuigde feministe, zeker in die tijd, vond ze het verfoeilijke patriarchale concept van het stichten van een gezin op een ouderwetse manier romantisch. Ze kende de theorie, maar als je alles op jezelf betrekt, heb je ook geen leven en bovendien had ze dan niet eens met Rob moeten trouwen en dat zou zonde zijn geweest, althans zo dacht zij er toen over, want hij leek op alle filmsterren van wie zij posters had kunnen opprikken als zij niet feministisch was geweest.

Eigenlijk had ze graag kinderen gehad. De huisarts had hen doorwezen naar een specialist, die verschillende opties met hen doornam, maar kort daarna werd Rob aangenomen bij Buitenlandse Zaken en omdat hij een loopbaan tegemoet kon zien met wisselende, exotische standplaatsen, beschouwden ze hun kinderloosheid opeens als een voordeel, of in ieder geval als een probleem minder. Toen heeft Carmen ook The Cave verkocht. Het weinige, maar dierbare, dat ze zelf had opgebouwd, heeft ze opgegeven voor de carrière van haar man. Spijt heeft ze daar niet van en op de dagen dat ze dat toch heeft, zegt ze tegen zichzelf dat ze niet mag zeuren, want ze wist toen wat ze deed. Ze was geen naief slachtoffer geweest van culturele conventies, maar ze had er, doordesemd als ze was van feministische bewustwording en idealen, uit eigen vrije wil voor gekozen om met haar mooie man mee te gaan naar het buitenland.

Als Carmen terugdenkt aan die tijd, verbaast het haar hoe luchthartig en levenslustig ze toen geweest moet zijn. Ze houdt op haar manier nog steeds van Rob, maar ze herinnert zich haar geloof in hem en het vrolijke optimisme waarmee ze er voetstoots van uitging dat ze samen waren voorbestemd voor avontuur. Het idee om gedurende de beste jaren van haar leven samen met hem de wereld over te reizen in opdracht van de diplomatieke dienst van het Koninkrijk der Nederlanden wond haar op. Bij zulke hooggespannen verwachtingen kon de realiteit alleen maar tegenvallen en bovendien viel de realiteit ook tegen ten opzichte van vooruitzichten die in die tijd realistisch geacht mochten worden. Inmiddels kan Carmens echtgenoot in de rust van zijn vervroegde pensioen terugblikken op een teleurstellende carrière en Carmen zelf op talloze potjes tennis met de andere ambassadeursvrouwen en de ontdekking van sherry. Overal probeerde ze wel iets lokaals te vinden om zich voor in te zetten, zoals zwerfkatten of het financiële beheer van de aquarelclub, maar wie elke vijf jaar gedwongen verhuist en weer van voren af aan kan beginnen om een fictief sprankje zingeving te ontsteken in de met Nederlands belastinggeld zo sober mogelijk ingerichte kamers van de ambtswoning waarin tijd zich ophoopt, komt vroeg of laat tot de conclusie dat iedere moeite die een mens zich getroost per definitie vergeefs is. Ze was zelf een zwerfkat. Haar leven was ingekleurd met waterverf. Haar tijd in Amsterdam werd met terugwerkende kracht de mythische era van haar wilde jaren.

En Rob is nooit uitgezonden naar Rome of Parijs. Hij werd van de ene onromantische standplaats naar de andere gestuurd, alsof er op het ministerie van Buitenlandse Zaken in Den Haag iemand speciaal was aangesteld om Carmen haar illusies te ontnemen. Toen Rob was opgeklommen tot tweede man in Cotonou, hoopte hij in stilte dat hij daarna eindelijk zou worden aangesteld als ambassadeur. Toen hij vervolgens de tweede man werd in Wellington, sprak hij die hoop hardop uit en toen hij na nog vijf jaar tweede man geweest te zijn in Lima de moed opvatte om met klem aan te dringen op een promotie, werd hem te verstaan gegeven dat een ambassadeurspost anders dan vroeger geen automatisme meer was, dat er tegenwoordig ook naar prestaties werd gekeken en dat promotie er in zijn geval, gezien de beoordelingen van zijn functioneringsgesprekken, niet in zat. Tweede man was het hoogst haalbare, maar ze hadden er alle begrip voor als hij zou willen aandringen op een regeling voor vervroegde uittreding. Hoewel Carmen het nog steeds een blamage vindt dat de loopbaan van haar man niet is stukgelopen op een integriteitsschandaal, onrechtmatige declaraties of een affaire met een spionerende escort en hoewel ze zich ervoor schaamt dat het einde van zijn droom is terug te voeren op een banaal gebrek aan competentie, was ze destijds opgelucht dat het avontuur voorbij was. Ze is geen schrijfster, maar als ze dat wel was, zou ze een boek schrijven met de titel *De tweede man*. Maar misschien is het boek overbodig en volstaat alleen die titel al om de tragiek in volle omvang voelbaar te maken.

Rob was haar eerste man. Ze had natuurlijk wel in Amsterdam gewoond en menige hoopvol hijgende medestudent achter zich aan de trap op laten lopen, maar Rob was de eerste voor wie zij gevoelens koesterde, als zij haar grote onderwaterliefde in Monterosso niet meerekende. Maar die mag ze niet meerekenen, want toen was ze zestien en wat was er nou helemaal gebeurd? Ze weet niet eens meer hoe hij heette. Dat liegt ze. Ze weet nog heel goed dat hij Antonio heette, maar dat zegt niets, want zo heten ze allemaal in Italië. Goed dan, in het ergste geval is de eeuwige tweede man Rob ook haar tweede man. Zo klopt het verhaal alleen maar beter.

Eigenlijk had Carmen graag kinderen gehad. Als het waar is wat iedereen vertelt over de magie van het ouderschap, die alle verveling en zinloosheid als bij toverslag vult met onvoorwaardelijke zelfverloochening en heerlijke levenslange bezorgdheid, had ze al die jaren zeker de leegte niet ervaren die haar ook nu nog dun en beverig maakt en die er de oorzaak van is dat zij zich de laatste tijd steeds vaker onmogelijke vragen stelt. Een van de vriendinnen van haar leesclubje heeft ooit gezegd dat ze vroeger toen ze jong was alleen haar eigen leven leefde, zoals iedereen, maar dat ze sinds ze kinderen heeft hun levens ervaart als het hare. 'Zo voelt het echt,' zei ze. 'Ik leef hun levens.' Carmen dacht toen dat het welbeschouwd een gering offer zou zijn geweest om haar eigen unieke en eenmalige leven in te ruilen voor willekeurig welk ander leven dan ook. Het zou de oplossing zijn geweest. Daarom houdt ze van lezen, omdat boeken haar bevrijden van de deprimerende beperking om tussen de wieg en het graf slechts een enkel mensenleven te mogen meemaken. Maar haar redeneertrant bewijst tevens dat het wellicht beter is dat zij kinderloos is gebleven, want de overmoed om menselijke wezens op de wereld te zetten teneinde een persoonlijke leegte te vullen zou getuigen van deplorabel egoïsme en het feit dat miljoenen precies deze zelfzuchtige motivering aan de dag leggen, is geen reden om haar te vergoelijken.

4

Met de Boekenweek is Carmen maanden bezig geweest. Ze heeft met de ondanks alles toch beperkte financiële middelen die haar ter beschikking staan een programma op touw weten te zetten dat bepaald ambitieus genoemd mag worden, zeker voor de Openbare Bibliotheek van een middelgrote gemeente als L***. Een van de hoogtepunten is wat haar betreft dat Ilja Leonard Pfeijffer heeft toegezegd te zullen komen, hetgeen overigens nogal wat voeten in de aarde had, omdat hij uit Italië moet komen, zoals zijn manager bij herhaling benadrukte om vervolgens vergoeding van de reiskosten als voorwaarde te stellen, terwijl Carmen wist dat hij gedurende de hele Boekenweek in het land zou zijn. Er werd een compromis gevonden, maar toen sprak de manager zijn veto uit over de verrassende combinatie met de lokale muzikant die Carmen voor ogen had. Ze kreeg het akelige vermoeden dat de schrijver zich eigenlijk te groot voelde voor een middelgrote gemeente als L***, maar ze heeft geleerd dat je als evenementenorganisatrice in de culturele sector nu eenmaal zelden te maken hebt met bescheiden mensen en dat het de kunst is om overal begrip voor te veinzen. Bovendien zegt ze altijd dat de omgang met markante persoonlijkheden nu juist datgene is wat haar werk zo leuk maakt.

De reden waarom ze zich tot het uiterste heeft ingespannen om Pfeijffer te contracteren, ondanks dat dit in haar directe omgeving niet overal begrepen werd, en waarom ze zich daadwerkelijk op zijn komst verheugt, is slechts ten dele gelegen in zijn literaire reputatie. Natuurlijk timmert hij aan de weg, maar ze zou geen moeite hebben om vijf of tien andere Nederlandse schrijvers op te noemen die ze beter vindt, in de zin van minder ostentatief. Ze heeft *Grand Hotel Europa* met plezier gelezen, heerlijk boek, behalve de seksscènes. Maar zijn andere werk is minder, misschien met uitzondering van zijn autobiografie, die de vriendinnen van haar leesclubje niet uitgelezen kregen maar die zij eigenlijk heel gedurfd vindt. Weliswaar is het boek, evenals zijn auteur, er een treffend voorbeeld van dat dikte en ijdelheid bijwijlen op een verrassende manier samengaan, maar zij waardeert eerlijkheid en heeft een zwak voor dat boek. Maar de werkelijke oorzaak van haar gevoel van opwinding op de vooravond van de bewuste avond tijdens de Boekenweek is dat zij hem kent. Of misschien moet zij in de verleden tijd over hun band spreken, want de periode dat zij hem zo goed als dagelijks zag ligt in een met het patina van de geschiedenis bedekt verleden toen hij nog gewoon Ilja heette zonder al die andere namen. Ze heeft gedurende de zes jaar van haar lagereschooltijd bij hem in de klas gezeten op de Petrusschool in de nieuwbouwwijk in R*** waar zij beiden zijn geboren en opgegroeid.

Ze staat geërgerd voor haar kledingkast en het ergert haar dat ze geërgerd is. Waarom moet ze toch altijd weer zijn zoals ze is? Op andere avonden denkt ze er ook toch niet over na? Maar uitgerekend vandaag moet ze zo nodig tot de onontkoombare ontdekking en tot de onweerlegbare conclusie komen dat ze helemaal niets heeft om aan te trekken. Ze zegt tegen zichzelf dat ze zich niet moet aanstellen en trekt haar donkerblauwe tailleur uit de kast, maar opeens ziet ze hoe oud die is. Ze gaat op zoek naar een alternatief zoals ze door een boek bladert dat haar tegenstaat. Al haar kleren zijn oud. Ze maken haar oud. Ze houdt haar mintgroene cocktailjurkje voor haar lichaam. Wanneer heeft ze dat voor het laatst aangehad, in Cotonou, Wellington of Lima? Ze zou die steden niet eens van elkaar kunnen onderscheiden, laat staan de cocktailparty's waar zij gastvrouw was of gast. Tennisbanen zijn overal hetzelfde en overal cirkelden als zoemende insecten dezelfde diplomatiek glimlachende gezichten om haar en om de mierzoete sherry heen. Ze grijpt zich vast aan de deur van de kledingkast. Iets praktisch. Misschien gewoon een spijkerbroek en een blazer met een fleurige zijden blouse eronder en met lage schoenen dus, maar welke? Terwijl zij zichzelf ervan probeert te overtuigen dat zij zo'n strakke broek nog best kan hebben, lacht haar spiegelbeeld haar hoofdschuddend uit. Iets langs met hakken dan. Ze ziet eruit alsof ze naar de opera gaat en alsof ze daar de leeftijd voor heeft. Het is laat. Ze moet gaan. Ze raapt haar donkerblauwe tailleur van de vloer, neemt de vleeskleurige panty's voor lief en stapt zuchtend in haar beige kitten heels, die haar op andere avonden zo'n frisse en verzorgde look geven maar die haar vanavond nog banaler voorkomen dan haar beige bestaan.

Het belangrijkste dat zij van Rob heeft geleerd, is dat elke schijn van belangenverstrengeling vermeden dient te worden, dus ze heeft aan niemand verteld dat ze met Pfeijffer in de klas heeft gezeten. En wat ze al helemaal aan niemand heeft verteld, zelfs aan Rob niet, die zich daar overigens weinig voor zou interesseren, is dat hij over haar heeft geschreven. Ze liegt niet. In zijn autobiografische boek *Brieven uit Genua* schrijft hij over zijn kindertijd in de nieuwbouwwijk in R*** en over het spreekwoordelijke mooiste meisje van de klas, op wie alle jongetjes verliefd waren en hij het meest van iedereen. Hij heeft haar naam veranderd, dus de vriendinnen van haar leesclubje hebben haar niet herkend, in zoverre ze het al hebben volgehouden om door te lezen tot die passage, maar zij is het. Hij noemt het Jacob Hamelinkpad, de straat waar zij woonde. Zijn beschrijving van haar toenmalige uiterlijk laat, hoe lyrisch ook, evenmin ruimte voor twijfel. Haar favoriete zin uit die passage is: 'Zij gaf schoolzwemmen zin.'

Als zij die zin een paar keer achter elkaar zegt, vermengt zich het chloorwater van het gemeentebad in R***, waar zij kennelijk, zonder zich daar ook maar een moment bewust van geweest te zijn, op een weinig feministische wijze betekenis heeft gegeven aan het magere en schuchtere geril van een bleek klasgenootje dat zij nauwelijks zag staan, met het ansichtkaartkleurige water van de Middellandse Zee, waarin zij hulpeloos spartelend zonder zwembandjes naar adem hapte omdat zij had geleerd wat zwemmen was. Zoals een golf een volgende golf achter zich aan sleurt, zo voelt ze dan dat de mild geamuseerde opwinding die zij ervaart bij het besef een mensenleven geleden begeerd te zijn, het reeds lang afgezonken concept van begeerte boven water haalt en de trossen losslaat van haar herinnering aan diepe en troebele opwinding, die zij zorgvuldig had verankerd in haar geheugen. Van de weeromstuit begint ze haar gedachten voor zichzelf te formuleren als een stilistische springvloed in de trant van Pfeijffer. Ze houdt van zwemmen, dat wil ze maar zeggen. Zelfs schoolzwemmen was blijkbaar leuk.

Na op het laatste moment nog een parkeerkaart geregeld te hebben voor zijn chauffeuse verwelkomt ze de schrijver in de foyer van de bibliotheek. Hij is in vol ornaat gekomen, in een donker pak met krijtstreep, blinkende manchetknopen, barokke ringen, een stropdas die bij zijn sokken kleurt en een dasspeld met nepparelmoer. Hij ziet eruit als de directeur van de botsautootjes. Zij zegt hem dat ze beseft dat hij heel wat gewend is, maar dat zij in alle bescheidenheid trots is op de opkomst, die voor een middelgrote gemeente als L*** uitzonderlijk genoemd mag worden. Ze hebben extra stoelen uit de leeszalen moeten plukken. Hij staat haar te woord met afgemeten, professionele welwillendheid. Hij kijkt haar aan zonder haar te zien, zoals een ervaren toneelspeler over het voetlicht heen persoonlijk contact lijkt te maken met iedereen in het donkere gat waar hij het publiek weet. Hij is met zijn gedachten al bij het applaus. Ze biedt hem een kopje koffie aan. Hij vraagt of er espresso is. Ze zegt dat de filterkoffie vers is gezet. Hij bedankt beleefd.

Natuurlijk heeft Carmen geen seconde of zelfs maar een fractie van een seconde de schaduw van de schim van de hoop gekoesterd dat haar huidige verschijning het verlangen zou kunnen reanimeren van het rillende, magere jongetje dat deze grote man heeft opgeslokt, werkelijk waar niet, ze zweert het, daar heeft ze geen moment aan gedacht. Hij verkeert inmiddels in andere sferen met een ster aan zijn zijde en bovendien zegt hij het zelf direct na de lyrische passage die over haar en over schoolzwemmen gaat: 'Misschien moet ik haar naam weglaten als ik deze brieven ooit publiceer, want voor je het weet meldt een vrouw van precies mijn leeftijd zich na haar derde herniaoperatie triomfantelijk op mijn Facebookpagina om te zeggen dat zij liposuctie weliswaar heeft overwogen maar dat zij zich na drie zware bevallingen toch een beetje te oud voelt als vrouw en dat ze mij evenmin ooit is vergeten.' Ze heeft moeten lachen toen ze die zin las. Hij moest eens weten.

Zijn lezing is superieur, in die zin dat hij ongenaakbaar en zelfverzekerd voldoet aan alle verwachtingen. Met geveinsde bescheidenheid en een paar meesterlijk getimede oprispingen van zelfironie camoufleert hij zijn hyperbewuste zelfpromotie. Hij weet precies wat hij doet. Hij spreekt zoals hij schrijft. Het lijkt hem geen enkele moeite te kosten om archaïsche volzinnen te improviseren. Zijn met liefde en toewijding doorrookte stem vult de multifunctionele evenementenzaal van de Openbare Bibliotheek van L*** zoals dons een kussen vult. Carmen vindt hem op geen enkele manier aantrekkelijk, maar die stem is als een veilige, brede schouder waarop zij haar hoofd te rusten legt. Maar het meest bewondert zij zijn professionaliteit. Ze heeft ter voorbereiding veel radio- en televisie-interviews met hem teruggezien en teruggeluisterd en zij heeft ontzag voor de wijze waarop hij grotendeels letterlijk hetzelfde zegt als bij vele eerdere gelegenheden en het publiek desalniettemin de indruk weet te geven dat hij elke gedachte speciaal voor hen voor het eerst onder woorden brengt.

In de context van een betoog over de ambiguïteit van het

fenomeen van het massatoerisme komt hij op een gegeven moment te spreken over Monterosso. Terwijl hij de transformatie van het voormalige vissersplaatsje schetst, dirigeert Carmen haar gedachten doelbewust weg van zijn dwingende stem in een poging om haar breekbare herinneringen te behoeden voor de banaliteit van de vooruitgang, de vrije markt en de tijd, die zo nodig moet verstrijken. Antonio glom als een bronzen beeld op zijn sokkel toen hij uit het schuim van de zee op de hoge rots geklauterd was en naar haar keek voordat hij haar opnieuw zijn stoerste zweefduik liet zien. Hij vond kiezels voor haar met de kleur van haar ogen. Het stadje trilde van de hitte. Bij ventilators achter gesloten luiken werd ook overdag gedroomd. In die tijd bestond er daar nog geen tijd, behalve voor haar ouders, die om een onverklaarbare reden de dagen hadden geteld en concludeerden dat de vakantie voorbij was. Zij had hem beloofd dat ze zou terugkomen, maar het jaar daarop hadden haar ouders een andere vakantiebestemming uitgezocht en daarna was haar overkomen wat iedereen altijd overkomt die dure eden zweert: het leven was haar overkomen.

Zij keert terug in het heden. De schrijver is nog niet uitgepraat over Monterosso. Hij permitteert zich een amusante diatribe over de uitpuilende treinen van Genua naar de Cinque Terre, nordic-walkingsticks en gênante scènes waarvan hij getuige was toen hij gebruikmaakte van de veerbootservice tussen Genua en Portovenere, die ook Monterosso aandoet. Het publiek lacht. Carmen beseft met een schok dat Monterosso geen betoverd hiervoormaals is, dat uitsluitend in haar meest intieme herinnering bestaat, maar een feitelijke en doodgewone bestemming, waarvoor aankomst- en vertrektijden gelden. Hoewel zij met recht een vrouw van de wereld genoemd mag worden, die op elk van de zes continenten tennisballen in het net heeft gemept en een fles sherry weet te staan en die geacht mag worden verstand te hebben van reizen, heeft ze er nooit bij stilgestaan dat iedereen die dat wil naar Monterosso kan gaan om het toneel van haar eerste liefde met onbenullige argeloosheid en stinkende gympen te ontheiligen. Ze heeft die evidente mogelijkheid altijd verdrongen en zou nu willen dat ze dat nog steeds kon doen.

Iemand uit het publiek vraagt de schrijver of hij met een pen of op een computer schrijft. Carmen schaamt zich. Ze kent het interview waarin hij zich hoofdschuddend vrolijk maakt over het feit dat precies deze vraag bij zijn optredens altijd als eerste wordt gesteld. Dan kun je de volle breedte van je talent en van je zitvlees almede de beste jaren van je leven eraan opofferen om je lezers mee te slepen in een verhaal dat zin aan hun leven kan geven en dan zijn ze vooral geïnteresseerd in de hardware. In plaats van zich te laten veranderen door de magie, willen ze in de goocheldoos snuffelen. De wereld wil bedrogen worden, maar niet zonder piekfijn uitgelegd te krijgen hoe het bedrog in elkaar steekt. Op de jongste dag zullen de opgewekte doden opheldering vragen over de special effects. Het onverklaarbare dwingt geen bewondering af. Voordat men overweegt om iets knap te vinden, wil men eerst precies weten hoe het is gedaan. Pas als men snapt dat men het in theorie ook zelf zou kunnen, als men niets beters te doen had, is men bereid te applaudisseren. Carmen wil nooit weten hoe een film gemaakt is. Ze kent zelfs de namen niet van beroemde acteurs, omdat ze hen niet ziet als acteurs maar als personages in wie ze wil geloven. Wanneer ze leest, probeert ze het leven af te kijken in plaats van de trucjes van een manipulerende auteur, maar misschien hebben mensen die al een leven hebben die behoefte minder.

Carmen ergert zich ook aan alle andere vragen. Hoewel

de schrijver ze met flair en charme beantwoordt, wordt zij bevangen door plaatsvervangende schaamte als ze zich voorstelt welke indruk haar Openbare Bibliotheek, haar publiek, haar ambiance en haar habitat bij hem zullen achterlaten. Zoals Rob als tweede man de eeuwige plaatsvervanger was, zo heeft Carmen plaatsvervangende emoties. Ze leidt een plaatsvervangend leven, denkt ze en ze glimlacht om de fraaie formulering die ze per ongeluk heeft bedacht voor die droeve constatering.

Naar aanleiding van een ongetwijfeld banale vraag die ze niet heeft gehoord, vertelt de schrijver over zijn personages. Met een glimlach zegt hij dat het een illusie is om te denken dat hij als auteur besluit hoe zijn personages zijn en handelen. Hij heeft hen soms helemaal niet in de hand, zegt hij. Misschien is hij degene die hun leven inblaast, maar vervolgens gaan zij hun eigen weg. Ook dit heeft Carmen al meerdere malen eerder gehoord en ze weet nog steeds niet of hij het meent of niet. In ieder geval zou zij dat ook wel willen, om als bij een dropping te worden losgelaten in het decor van een echte roman en vervolgens eindelijk haar eigen weg te gaan.

Als organisatrice wacht zij netjes tot er geen rij meer staat alvorens zij haar exemplaar van *Brieven uit Genua* laat signeren.

'Aan wie mag ik het opdragen?'

'Aan Carmen,' zegt Carmen. Ze doet haar best om haar voornaam veelbetekenend uit te spreken. 'Het is voor mijzelf.'

'Ik ben vereerd,' zegt hij. 'Het boek ziet er bepaald gelezen uit.'

'Dit boek is voor mij speciaal,' zegt Carmen.

Hij dankt haar geroutineerd en met een zwier voltooit hij de krullen van zijn barokke handtekening. Hij stopt zijn pen in zijn binnenzak, verplaatst zijn pinkring weer terug van zijn linkerhand naar zijn schrijfhand, staat op en knoopt zijn jasje dicht. Zij vraagt of ze hem nog iets kan aanbieden, maar zijn chauffeuse staat al klaar. Carmen begeleidt hen naar de uitgang en met formules van wederzijdse dankzegging nemen ze afscheid.

Hij heeft haar niet herkend. Ze is niet langer het mooiste meisje van de klas.

5

De blauwe Embraer 190 van KLM landt op de internationale luchthaven Cristoforo Colombo van Genua. Carmen heeft weinig bagage, want ze heeft op internet gezien dat het in Italië al voorjaar is en bovendien blijft ze maar een week. Ze heeft maar één boek meegenomen. Triomfantelijk loopt ze met haar rolkoffertje aan de bagageband voorbij. Er zijn plakkaten opgehangen die waarschuwen voor het nieuwe virus. Het is een vliegveld van niets. Ze staat gelijk buiten. Ze laat zich door een taxi naar station Brignole brengen, waarvandaan twee uur later haar trein zal vertrekken naar de Cinque Terre. Ze heeft er geen behoefte aan om Genua te zien.

Ze is te vroeg op het station, maar ze weet hoe ze dat moet aanpakken. Nadat ze geroutineerd vanuit haar ooghoek op het grote matrixbord heeft geverifieerd dat de trein die ze thuis via internet heeft gereserveerd daadwerkelijk bestaat en dat er vooralsnog geen vertraging is voorzien, kijkt ze welk stationscafé het schoonste is en sluit daar achteraan in de korte rij voor de kassa. Ze draagt haar bloemetjesjurk met een beige vestje en hoewel ze met het oog op het comfort tijdens de reis voorlopig, totdat ze eenmaal goed en wel is gearriveerd, genoegen neemt met haar platte bibliotheekschoenen, voelt ze zich al helemaal op vakantie.

Het vooruitzicht op een echte cappuccino en op de buitenkans om dat woord met verve ten overstaan van een Italiaanse ober te kunnen uitspreken weerhoudt haar ervan om op dit uur al iets hartigers te bestellen. Ze neemt er een chocoladebroodje bij, want het bijgeloof in de schriele leerstellingen van de slanke lijn is ze al jaren ontgroeid. Ze rekent af en gaat met haar consumpties aan een tafeltje zitten.

Uit gewoonte pakt ze haar telefoon. Zie je wel. Dus toch. Ze dacht al dat ze iets voelde toen ze zojuist in de rij voor de kassa stond, maar ze wilde niet gelijk al aan het begin van haar vakantie paranoïde zijn. Haar tas is open en haar telefoon is weg. Tegen beter weten in controleert ze de zijvakken van haar rolkoffertje. Als haar telefoon daarin zat, zou de dief dat gedaan moeten hebben, want zelf zou zij hem daar nooit stoppen, maar je weet maar nooit. De overbodige procedure, waaraan ze zich louter omwille van de zorgvuldigheid onderwerpt, leidt niet tot een andere conclusie. Ze is nog geen halfuur in Italië en haar telefoon is gestolen.

Ze blijft een moment doodstil zitten om uit nieuwsgierigheid bij zichzelf na te gaan welke reactie deze ontdekking bij haar teweegbrengt. Natuurlijk vindt ze zichzelf een muts en een zelfverklaarde wereldreizigster van lachwekkend allooi, die in argeloze ontkenning van de meest voor de hand liggende gevaren in een zomerjurkje door vreemde landen denkt te kunnen fladderen en zich binnen een halfuur al heeft laten beroven, maar haar eerste gedachte is raar genoeg een andere: in L*** maak je zoiets niet mee. Ze heeft nu al meer beleefd dan in al die afgelopen jaren.

En het wordt nog mooier, want er lopen twee carabinieri het stationscafé binnen, die zich aan de bar posteren voor hun koffiepauze. Carmen staat op, loopt naar de bar, spreekt de carabinieri aan, die vermoeid opkijken, en legt in idioomloos, rudimentair wereldengels, een taal die zij in de verschillende landen waarheen Robs teleurstellende carrière haar heeft gebracht uitstekend heeft leren beheersen, kort en helder uit wat er is gebeurd. De een zucht en de ander roert peinzend in zijn koffiekopje. Carmen benadrukt dat de dief niet ver weg kan zijn. Er is sinds het lage misdrijf hooguit een tiental minuten verstreken. De peinzende agent begint met hoorbare tegenzin te mompelen. Hij doorspekt zijn Italiaans met net genoeg Engelse woorden om Carmen te doen begrijpen dat er formulieren bestaan die nuttig zouden kunnen zijn voor de verzekering en dat ze zich daarvoor op het bureau zou moeten vervoegen. Maar haar trein gaat zo. De andere agent laat door middel van een diepe zucht weten dat hij zich ervan bewust is dat dit een station is, dat treinen nu eenmaal de hinderlijke gewoonte hebben ontwikkeld om aan te komen en te vertrekken, dat er mensen bestaan die die treinen om hen moverende redenen niet willen missen en dat de wereld onvolmaakt en onrechtvaardig is. Carmen slaakt een zucht ten antwoord, die duidelijk wil maken dat zij al vaker in haar leven is teleurgesteld, maar dat zij toch telkens weer tegen beter weten in blijft hopen dat het goede in de mens zegeviert. Zij staat op het punt om het bij die betekenisvolle zucht te laten en verslagen af te druipen, als zij in de hoek van het stationscafé een beveiligingscamera ontwaart. Zij wijst de carabinieri erop met het triomfantelijke gebaar van iemand die een zeker lijkende nederlaag op het laatste moment in een klinkende overwinning weet om te buigen. Maar de agenten zijn niet onder de indruk. De camera is niet aangesloten, zeggen ze en daarmee hebben ze het pleit definitief in hun voordeel beslecht.

Ze heeft er in ieder geval een anekdote aan overgehouden

die ze kan inzetten wanneer de conversatie vraagt om bevestiging van vooroordelen jegens Italië of om reflectie op het primaat van theatraliteit in de maatschappij van vandaag, waar schijn voorrang heeft op wezen. Nog voordat de trein de stad uit is, begint hij vlak langs de zee te rijden. Het schouwspel overvalt haar. Schijn reflecteert op het wezen van de wereld, dat blauw is, de kleur van haar ziel, zo blauw dat het vanuit de ruimte gezien alle andere aardse kleuren overheerst en doet vergeten. Ze ziet de lila bloesem van blauwe regen in dit blauwe decor. Zo schaamteloos gul bloeit de blauwe regen niet in L***, ook al plant je hem tegen het beschutte muurtje op het zuiden van de schuur waarin de elektrische fietsen staan gestald. Hier en daar ziet ze brutale kledders felgele mimosa en zachtroze magnolia's, die uit de verte gezien iets weg hebben van kersenbloesem op een Japanse prent. De lentezon zet alles in een klare lijn helder en haarscherp neer met een lichte toets. Het is nog niet het vette licht van de zon in de zomer, dat goudkleurig druipt als gesmolten boter. Het voorjaar heeft alles een grote beurt gegeven en in een fris geurend sopje gezet. De wereld ziet er weer uit als nieuw en dat is goed zo, want dat is precies zoals Carmen zich zou willen voelen.

Ze had niet gelogen tegen Rob. Met haar geacteerde naiviteit, die dingen soms gemakkelijker maakt omdat ze haar man daarmee de ruimte geeft om voor zichzelf te gloriëren in zijn favoriete rol van haar verantwoordelijke, rationele en hoofdschuddende beschermheer die haar gunsten verleent, had ze laten vallen dat ze zin had om er een weekje tussenuit te gaan. Dat was de waarheid, dat kon niemand ontkennen. Ook haar motivering, dat ze moe was van de Boekenweek, die voor haar in haar coördinerende functie intensief en veeleisend was geweest, was niet geheel bezijden de waarheid. Ze zag dat hij ontspande toen ze de mogelijkheid opperde dat ze ook alleen kon gaan. Ze deed het voorkomen alsof dat voorstel door puur altruïsme was ingegeven en door haar begrip voor het feit dat zijn vroegere carrière, met de bittere nasmaak die hij daaraan had overgehouden, hem de lust tot reizen had ontnomen. Hoewel zij nooit eerder zonder hem op vakantie was gegaan, wat de reden was waarom zij sinds zijn vervroegde pensioen nooit meer op vakantie was gegaan, slaagde zij erin om het plan met een ontwapenend trouwhartige blik te doen voorkomen als de gewoonste zaak van de wereld, hetgeen het welbeschouwd ook zou moeten zijn. Mensen doen al moeilijk genoeg over van alles. Wat was een weekje Monterosso in vergelijking met alle problemen die je ook kon hebben? Het enige dat zij verzweeg, was dat zij naar Monterosso wilde omdat zij had begrepen dat er een verhaal nog niet afgerond was omdat er een belofte nog niet was ingelost. Ze had nu eenmaal een hekel aan open einden. Maar hij kon weten wat Monterosso voor haar betekende. Lang geleden, toen zij nog zo verliefd op hem was dat zij wilde dat hij alles van haar wist, had zij hem verteld over haar zomer met Antonio. Hij herinnerde het zich, dat zag ze aan hem. Maar hij zei dat ze moest gaan. Hij is een goede man.

Dat zou het enige zijn waarvoor ze haar telefoon nodig heeft. Maar ze kent hun vaste nummer uit haar hoofd, dus ze zou Rob van elke willekeurige telefoon kunnen bellen om te melden dat ze goed is aangekomen. Hij is toch altijd thuis. Verder verwacht ze voor de komende week geen crisissituaties in de Openbare Bibliotheek van L***. De dagen direct na de Boekenweek vormen een periode van luwte voor haar sector. Nu ze er zo over nadenkt, terwijl ze uit het raam van de trein uitkijkt over de Middellandse Zee, is ze de dief op station Brignole bijna dankbaar. Met de navelstreng die haar via altijd wakkere satellieten verbindt met haar verantwoordelijkheden, is ze ook haar laatste restjes schuldgevoel kwijt-geraakt.

De kust wordt weerbarstiger. De trein rijdt dwars door de rotsen heen. In de tunnelwand aan de zeezijde zijn boog-vormige lichtgaten uitgehouwen als de ramen van een ro-maanse kathedraal. Ze ziet de zee nu diep onder zich. Duis-ter, kalm en geheimzinnig wacht zij op haar in de schaduw van de bergen.

6

Carmen herkent niets, maar toch is ze gelukkig. Ze loopt vanuit het okergele station door een tunnel, als Alice die dwars door een konijnenhol heen valt, en vervolgens over de boulevard langs de zee in de richting van de oude stad. Ze ziet smalle stroken kiezelstrand met hier en daar zelfs in maart al parasols en stretchers en ze vraagt zich af of het hier was. Ze herinnert zich stranden die zo weids waren als haar gevoelens, maar wat ze ziet is klein en popperig als een bermpicknick of een geveltuintje. Dat hoeft niets te zeggen, dat weet ze wel. Ze is bekend met het ervaringsfeit dat de grootse indrukken van een kind in de jaren des onderscheids verschrompelen tot de realiteit.

Verderop aan het einde van de straat rijzen bergen op. Ondanks haar bereisdheid is ze zo Hollands gebleven dat ze zich altijd weer verbaast over reliëf. De combinatie van grijs en donkergroen, de kleuren van de botten van de wereld en van taaie vegetatie die zich daarop een dorstig leven bevecht, ontroert haar, maar ze weet niet waarom, want ze wil deze niet als een metafoor zien omdat dat zonde zou zijn van die kleuren. Bovendien zou ze dan ook betekenis moeten geven aan die verdwaalde gele spikkels op de rotsen, waarschijnlijk zoiets als sleutelbloem. Was het maar waar dat de wereld vol geheimen is. Als achter de dingen grotere dingen schuilgingen, die alleen door de gevoeligste en stilste mensen vermoed kunnen worden op een manier die op weten lijkt, dan zou ze altijd en overal, zelfs in Cotonou, Wellington en Lima en zelfs in de aantrekkelijke, middelgrote Nederlandse gemeente L***, hoop gehad kunnen hebben op het vinden van betekenis. Zelfs een openbaring die weigerde zich te openbaren, zou haar troost hebben geboden. Voor haar zou het al heel wat zijn geweest om te bevroeden dat er ergens buiten haar bereik, ver van de tennisbaan en de sherryfles, in theorie iets te ontdekken geweest zou kunnen zijn, in plaats van zeker te weten dat een mensenleven als een op en neer stuiterende voetbalwedstrijd van bedoelingen, fouten en momenten aan elkaar hangt en daarbij ook nog eens slaapverwekkend voorspelbaar is, omdat het er altijd op uitloopt dat iemand wint of niet. Betekenis vindt ze in boeken, waar het gemodder van het toeval door de alchemie van de woorden is omgesmolten tot een glanzende bol onontkoombaarheid. Dat is het geheim: dat je de wereld niet nodig hebt om er betekenis in te ontdekken.

Het zijn merkwaardige gedachten voor iemand die zich twaalfhonderd kilometer heeft verplaatst om een nieuwe werkelijkheid op te snuiven. Het zijn misschien minder rare gedachten voor iemand die een oude werkelijkheid zoekt en deze op een literair verantwoorde manier wil vormgeven als een verhaal dat wordt afgerond met de inlossing van een belofte. Laten we het zo maar uitdrukken. Maar aan dit alles wil ze nu nog niet denken.

Haar meest urgente taak op dit moment bestaat uit het vinden van 'Titi's B&B', het pensionnetje dat ze via internet heeft geboekt en dat naar de foto's te beoordelen geknipt leek voor een authentiek Italiëgevoel. Met het adres in de e-mail en Google Maps zou het te gemakkelijk geweest zijn, daar had de dief van Brignole gelijk in. Ze loopt onder het spoor door en komt uit op een zonnig plein, dat de entree vormt van de oude stad. Het heet Piazza Giuseppe Garibaldi, ziet ze, maar dat zegt haar niets. Zoals dat hoort in Italië, zit er een oude heer op een bankje, maar verder is het plein vrijwel verlaten. De door iedereen en speciaal door toeristen gevreesde horden toeristen zijn in geen velden of wegen te bekennen. Maar het is nog vroeg in het jaar.

Ze stapt op de oudere heer af om hem op een ouderwetse, analoge manier de weg te vragen. Gelukkig heeft ze de naam van het pension onthouden. Hij lijkt het te kennen. Hij knikt, maar hij zegt niets. Hij denkt na.

'De dagen worden langer,' zegt hij dan, als Carmen het althans goed heeft verstaan. Ze kan en wil dat niet ontkennen, maar overweegt omwille van de doeltreffendheid van de communicatie haar vraag te herhalen. De oude man is haar voor en zegt: 'Er zal alle tijd zijn voor herinneringen. Welkom, meisje. Titi woont bij de fontein.'

'De fontein?'

Met een knikje van zijn hoofd duidt hij een smalle straat aan die vanuit een hoek van het plein de stad in kruipt. Dan begint hij te lachen. Ook Carmen lacht, want ze is er vrolijk van geworden dat hij haar 'meisje' heeft genoemd. Alles is relatief, vooral leeftijden, en vanuit zijn perspectief is vrijwel iedere vrouw een jong ding, dat beseft ze, maar toch begint de vakantie al goed. Het leven in Monterosso bevalt haar nu al.

Het straatje, dat met een weidse naam Via Roma blijkt te heten, voert langs de zijbeuk van een kerk. Ze komt op een pleintje met een esdoorn, vanwaar ze linksaf naar de voorgevel van de kerk zou kunnen wandelen, maar ze besluit rechts te houden en op de Via Roma te blijven. Ze passeert het ene beeldige terrasje na het andere. De meeste zijn gesloten, maar het is nog vroeg. Ze herkent nog steeds niets uit haar jeugd, maar de roze, oranje en oker gestuukte gevels met donkergroene luiken geven haar het gevoel dat alles is zoals het moet zijn.

Er doemt een poort op en vlak daarachter nog een. Vlak voor de tweede poort bij de Enoteca Internazionale in de schaduw van twee grote bomen, een esdoorn en een mispel, ziet ze een klein marmeren fonteintje in de vorm van een schelp waarboven een boos kijkende vis kronkelt. Zou dit het zijn? Zij kijkt om zich heen. Tegenover de boze vis bevindt zich een leistenen trappetje dat naar de voordeur van een roze huis voert met een poortje aan de andere kant, waar een andere straat begint. Geraniums en klimplanten fleuren de opgang op. Ze herkent het scenario van de foto's op internet. Dan ziet ze ook het naambordje.

'Welkom, meisje,' zegt Carmen hardop tegen zichzelf.

7

Titi blijkt in het echt Tiziana te heten en haar B & B is minder idyllisch dan op de foto's. Het zo gretig gefotografeerde uitzicht op zee is kennelijk approximatief bedoeld, in die zin dat het beeldmateriaal duidelijk wil maken dat de zee niet heel ver weg is en dat er in de directe omgeving van het etablissement soortgelijke panorama's te bewonderen zijn. Haar kamer is kleiner en knusser dan gedacht en het enige raam kijkt uit op een binnenplaats, waar zonneschijn niet te verwachten valt. In ieder geval zal de kamer daardoor lekker koel zijn, denkt Carmen. Het kan hier in het zuiden gemeen warm worden, ook al is het nog maar maart.

Tevreden installeert ze zich. Ze hangt haar jurkjes en vestjes uit in de IKEA-kast en legt haar boek, het enige boek dat zij heeft meegenomen, op het nachtkastje. Ze heeft haar best gedaan om iets passends uit te zoeken voor de vakantie, je bent bibliotheekmoeder of je bent het niet, maar omdat er geen boeken bestaan die zich afspelen in Monterosso, zoals er overigens evenmin boeken bestaan over iemand zoals zij, heeft ze *De dood in Venetië* van Thomas Mann meegenomen, een klassieker die zij tot haar schande nog nooit gelezen heeft, ook al heeft ze genoten van de film.

'Daarin vergis je je,' zegt Tiziana later in haar grote keuken, die Carmen ook mag gebruiken, terwijl zij het koffiepotje op het fornuis zet en een Italiaanse vlaai met kersenmarmelade uit de koelkast haalt. Uiteraard tutoyeren zij elkaar, want in de wereld van de private kamerverhuur is het altijd vakantie. 'Onze grootste dichter heeft hier gewoond en zijn beroemdste boek heeft Monterosso als decor.'

'Waarom ken ik hem dan niet?' vraagt Carmen.

'Je kent hem wel. Montale. Nobelprijswinnaar. Zijn eerste bundel is zijn beste, *Ossi di seppia*. Die gedichten ademen de zeelucht van deze weerbarstige heuvels.'

Carmen is blij verrast door de ontdekking dat haar gastvrouw haar interesse voor literatuur deelt. Misschien kunnen ze vriendinnen worden. Ze wil haar telefoon pakken om op te zoeken wat 'ossi di seppia' betekent. Nadat ze verteld heeft over haar avontuur op station Brignole, komen ze met behulp van Tiziana's telefoon tot de Nederlandse vertaling 'inktvisbotten' die ook 'sepiaschelpen' worden genoemd. Carmen vindt het een mooie titel en neemt zich voor om volgende week, wanneer ze weer terug is in Nederland, op zoek te gaan naar een vertaling van die bundel, want in theorie houdt ze van poëzie.

Het mokkapotje sputtert. Tiziana draait het gas uit en pakt een pannenlap om de koffie uit te schenken in twee poppenhuiskopjes, want het handvat van de caffettiera is afgebroken. Tiziana is jonger dan Carmen. Carmen schat haar een jaar of vijfenveertig. Ze is op een jaloersmakend onbekommerde manier mooi. Zoals je gelukkig kunt zijn door verdriet te negeren, zo lacht ze haar rimpels weg. Haar zwarte jurk met een motief van grote rode bloemen en haar donkere, losse haar kunnen haar bewegingen en gebaren maar net bijhouden. Als je zo kunt zijn zoals zij, denkt Carmen, dan worden alle problemen vanzelf afgeschud. Ze leert dat de kersenvlaai 'crostata' heet. Ze verheugt zich erop om nog veel meer te leren.

'Ik ben één keer eerder in Monterosso geweest,' zegt Carmen wanneer haar gastvrouw haar vraagt of zij voor het eerst in Ligurië is. 'Maar dat is lang geleden. Ik was toen zestien.' Ze vertelt het verhaal over haar eerste kus onder water en over Antonio, hoe hij glom in de zon toen hij lachte omdat het sap van de perzik van haar kin af droop. Ze vertelt het kennelijk goed, want Tiziana's gezicht leeft hevig mee met elk woord dat ze zegt.

'Dus deze vakantie is een soort pelgrimage voor jou,' zegt Tiziana. 'Ik ben vereerd dat je mijn nederige B & B hebt uitgezocht voor zoiets belangrijks.'

Carmen lacht. 'Laten we het niet dramatischer maken dan het is,' zegt ze. 'Ik was gewoon toe aan een weekje vakantie.'

'Als je langer wilt blijven, is dat geen probleem. Ik heb geen andere reserveringen staan.'

'Het is me al opgevallen dat het erg rustig is,' zegt Carmen. 'Waarom is dat zo? Ik had verwacht dat Monterosso veel toeristischer zou zijn.'

Tiziana vindt het eerdere onderwerp interessanter. 'Dus hij heette Antonio, zei je? Weet je ook zijn achternaam nog? Misschien woont hij hier nog. Misschien kunnen we hem traceren.'

'Zijn achternaam heb ik nooit gekend,' zegt Carmen. 'En maak je geen zorgen. Ik ben misschien wel oud, maar nog niet zo nostalgisch dat ik mezelf toesta te zwelgen in de illusie een jeugdliefde te kunnen reanimeren.'

'Ik geloof je niet,' zegt Tiziana.

'Het is meer iets voor mezelf,' zegt Carmen. 'Toen ik noodgedwongen afscheid moest nemen van Antonio, omdat mijn ouders hadden besloten dat de vakantie voorbij was, heb ik hem plechtig beloofd dat ik terug zou komen. Dat is er vervolgens natuurlijk nooit meer van gekomen, omdat het leven geen boodschap heeft aan beloften. En hoewel ik heel goed weet dat hij dat ook wist, dat hij mij waarschijnlijk twee weken na mijn vakantie alweer vergeten was en dat hij zeker niet poëtisch en smachtend tot zijn oude dag op mij heeft zitten wachten als in een film –'

'Liefde in tijden van cholera.'

'Zo'n prachtig boek ook. Ik heb het twee keer achter elkaar gelezen. Die slotscène op die boot in quarantaine is misschien wel het meest romantische dat ooit is bedacht. Het is bijna jammer dat er tegenwoordig geen epidemieën meer bestaan.'

'Je dwaalt af,' zegt Tiziana.

'Sorry. Ik liet me meeslepen door de herinnering aan een leven dat ik nooit heb geleid.'

'Dat zeg je mooi, Carmen.'

'Ik vond – ik vind nog steeds dat ik ondanks alles mijn belofte moest nakomen.' Carmen is dankbaar dat ze iemand heeft gevonden met wie ze over deze dingen kan praten. 'Luister. Ik ben hier niet gekomen om Antonio te vinden. Ik wil het niet eens proberen om hem te zoeken. Daar gaat het niet om. Waarschijnlijk woont hij hier niet eens meer. En zelfs als dat wel zo is, besef ik donders goed dat hij niet zit te wachten op – hoe was het ook alweer? – op een vrouw van precies zijn leeftijd die zich na haar derde herniaoperatie triomfantelijk meldt om te zeggen dat zij liposuctie weliswaar heeft overwogen maar dat zij zich na drie zware bevallingen toch een beetje te oud voelt als vrouw en dat ze hem evenmin ooit is vergeten.'

'Ik zou niet weten waarom jij liposuctie zou moeten overwegen,' zegt Tiziana bezorgd. Ze buigt voorover over de keukentafel om haar beide handen moederlijk op Carmens onderarmen te leggen.

'Dat was een citaat. Ik heb ook niet drie keer gebaard. Laat maar. Het is niet belangrijk. Het verhaal was gewoon nog niet rond. Daarom ben ik hier.'

'Je bent een belofte aan hem aan het inlossen zonder dat je er belang aan hecht dat hij dat weet.'

'Precies.'

'Maar daar ben ik het niet mee eens, Carmen.'

'Wat bedoel je?'

'Je verhaal is zo romantisch. Het verdient een beter einde.' Tiziana slaat haar handen voor haar borst en kijkt zuchtend naar het plafond alsof ze dwars door de spaanplaten heen de hemel ontwaart waar engelen kwelen. 'Ik vind dat we het in ieder geval moeten proberen.'

'Dat we wat moeten proberen?'

'Om Antonio te vinden. Ik zal je helpen. Dank je wel dat je naar mij toe bent gekomen, Carmen. Je hebt mij een verhaal gegeven en ik mag helpen om het een happy end te geven. Wat een voorrecht.'

Carmen lacht. 'Ik ben ontroerd dat je zo meeleeft met mijn kleine, particuliere beslommeringen, maar echt, doe geen moeite. Ik ben geen personage in een roman, ik ben getrouwd. En volgende week zal ik voldaan en dankbaar terugkeren naar mijn echtgenoot, gewoonten en routines, met het verschil dat ik tegen mijzelf kan zeggen dat ik een oude belofte heb ingelost.'

'Volgende week?'

'Ja,' zegt Carmen. 'Ik blijf een week. Dat weet je toch?'

'O ja,' zegt Tiziana verstrooid.

8

In Carmens vroegere leven als diplomatenvrouw was iedere kennismaking met een nieuwe stad een zuchtende zoektocht naar houvast. Voor de bühne toonde zij zich nieuwsgierig naar de culturele rijkdom van de nieuwe standplaats van haar echtgenoot, ook al was deze opgetogen houding op plekken als Cotonou, Wellington en Lima weinig geloofwaardig, maar in werkelijkheid zocht ze niets anders dan de voortzetting van een routine, met tennisbanen en sherry, die ze dan ook vond, hetgeen haar vervolgens opnieuw op een geruststellend vertrouwde manier neerslachtig maakte. Haar nomadische bestaan was paradoxaal genoeg een sedentair leven geweest, binnen in een zeepbel die van her naar der geblazen werd door de wind, waarbij op elke willekeurige plek op aarde een blokje om met de handen in de zakken buiten de beveiligde compound van de ambtswoning volstond om te concluderen dat het betreffende land geen geheimen herbergde die de moeite van het ontsluieren waard waren, dat alles in wezen overal hetzelfde is en dat er nergens ter wereld genoeg te ontdekken valt om de verveling te verdrijven.

Door al het reizen is ze het reizen verleerd. Maar ze doet haar best. Ze heeft haar vrolijke jurk aangetrokken en de sandalen met het hakje, die ze alleen maar hoeft te zien om een vakantiegevoel te krijgen, en Monterosso helpt, want de straatjes, die door geslenter lijken te zijn uitgesleten, lenen zich voor weinig anders dan ongerichte verstrooiing. Ze fladdert van barretje naar barretje, trakteert zichzelf op een uitgebreide lunch en stelt opgelucht vast dat het stadje, afgezien van het stadje zelf en de beroemde wandelpaden in de bergen, geen belangrijke bezienswaardigheden te bieden heeft die haar verplichten tot respectvolle en serieuze aandacht. Ze bedenkt dat ze Rob nog niet heeft gebeld om te melden dat ze veilig is aangekomen. Ze zal vanavond aan Tiziana vragen of ze haar telefoon even mag gebruiken.

Ze gaat de kerk binnen op het centrale pleintje, waar ze langs is gelopen toen ze Titi's B & B zocht, omdat beschaafde mensen in het buitenland nu eenmaal kerken bezoeken en omdat het weinig moeite kost. Het pleintje is genoemd naar Don Giovanni, maar omdat er de achternaam Minzoni bij staat, vermoedt Carmen dat ze daar de verkeerde associaties bij heeft. De kerk is gewijd aan Johannes de Doper en Carmen vindt hem fraai. Zowel de voorgevel als de zuilen en bogen van het interieur zijn zwart-wit gestreept. Het mooiste is misschien de rozet boven de deur, die van wit marmer gekantklost lijkt. Ze is naar binnen gedrenteld zonder het voornemen om onder de indruk te raken, maar op het informatiepaneel leest ze dat ze toch maar mooi, zonder daarop te zijn voorbereid, in een dertiende-eeuwse kerk terecht is gekomen. Haar kerkbezoek blijkt nog cultureel verantwoorder dan ze dacht.

Omdat ze de smaak te pakken heeft, besluit ze ook maar meteen het andere gestreepte, kerkachtige gebouw op hetzelfde pleintje te bezichtigen. In de lunet boven de deur staat bij de inscriptie MORTIS ET ORATIONIS CONFRATERNITAS een doodshoofd met gekruiste beenderen afgebeeld. Ondanks dat ze gewaarschuwd is, betreedt Carmen de tempel van de broederschap van de dood. Ook al dringt er weinig licht binnen in het barokke oratorium, ziet ze dat ze alleen is. Doodskoppen grijnzen haar aan vanaf de kapitelen. Skeletten dansen op de architraven. Lijken staren met holle ogen in het houtsnijwerk van de lambrisering van het koor. Zelfs het kruisbeeld op het altaar is zwart en hoe meer haar ogen aan het schemerduister wennen, hoe meer karkassen, geraamten en doodsbeenderen ze ontwaart in de hoeken en gaten van de kerk. Doodshoofden en schedels lachen haar uit omdat ze zich ongemakkelijk begint te voelen. Een skelet met een bisschopsstaf in de ene en een mijter in de andere hand houdt zijn hoofd schuin, kijkt op haar neer, opent zijn mond, waarin nog een handvol tanden staan, en lijkt op het punt te staan om iets definitiefs te zeggen.

Zoals iemand zich bij een uitzicht op een diepe afgrond vastklampt aan de reling omdat hij bevangen wordt door duizelingen, zo zoekt Carmen houvast bij het informatiepaneel dat de toeristen voorziet van historische en culturele achtergronden. De Zwarte Broederschap was een geestelijke orde die zich toelegde op de dood. De broeders gingen gekleed in een zwart habijt met een zwart koord, een zwarte capuchon en een zwarte mondkap en zij ontfermden zich over het laatste sacrament en de teraardebestelling van arme sloebers wier nabestaanden daarvoor de middelen ontbeerden. Zij vierden hun hoogtijdagen ten tijde van rampspoed, zoals tijdens epidemieën, wanneer de lijken niet meer werden geteld.

Ook het verleden was niet altijd een lolletje, denkt Carmen, omdat ze zichzelf dwingt iets relativerends te denken. Ze zoekt haar toevlucht bij de boze vis in de schaduw van de esdoorn en de mispel op het terras van de Enoteca Internazionale. Ze hebben geen sherry, dus ze laat zich een lokale witte wijn aanraden. Bij het tweede glas lukt het niet meer om de allesoverheersende vraag te verdringen.

'Wat doe ik hier?' vraagt ze hardop in het Nederlands aan de stomme vis. Hij heeft het lekker makkelijk met zijn in marmer gestolde gekronkel. Hij hoeft zich geen houding meer te geven. Toch begrijpt ze zijn woede. Tijd verstrijkt maar alsof het niets is en als je van steen bent, zie je dat des te duidelijker. Daar is een gedicht over van Vasalis, dat ze ooit uit haar hoofd heeft geleerd, want ze houdt heus van poëzie. Maar ze weet het niet meer. Zie je wel, dat is precies wat ze bedoelt. Zoals de zee je voetstappen uitwist op het strand, zo verdwijnen na de dingen zelfs de herinneringen aan de dingen mettertijd. Ze weet niet eens meer hoe zij met Antonio praatte terwijl ze elkaars taal niet kenden. Hadden ze geschutterd in schoolengels? Was niet alles een misverstand? Hoe kan ze haar herinnering aan de idylle vertrouwen als niets van het idyllische decor van die herinnering haar vertrouwd voorkomt?

De ober brengt een sauvignon van een of ander huis, die ze voor de vorm nippend voorproeft. Ja, ook wijn. Ze doet alles voor de vorm. Ook deze belachelijke excursie die ze voor zichzelf heeft bedacht, is louter voor de vorm. Ze heeft zich laten leiden door de formele literaire overweging dat er een verhaal rondgemaakt moet worden met de inlossing van een belofte, maar het is een loos gebaar, dat geen kiezel op het strand van zijn plaats brengt, niets verandert aan wat dan ook en zelfs geen verhaal oplevert. Nu ze officieel heeft besloten dat ze de leeftijd heeft bereikt waarop ze de dingen zegt zoals ze zijn, gebiedt de eerlijkheid haar te concluderen dat haar hele leven niet echt een goed verhaal oplevert. Dat is, kort samengevat, haar probleem en nu zit ze hier in een dorp aan de Middellandse Zee tegen een vissculptuur aan te praten alsof dat iets oplost.

Ze zou met de leuke, jonge ober moeten flirten, dat zou het begin van een verhaal kunnen zijn, maar ze hoeft de dienstbare Don Giovanni in kwestie niet eens aan te kijken om te weten dat hij haar ziet als een aflopende zaak en ze heeft de spiegel van zijn blik niet nodig om te beseffen dat hij daar gelijk in heeft, omdat zij dat is. En het laatste wat zij in haar toestand nodig heeft, is een kerk vol grijnzende skeletten om haar aan haar toestand te herinneren. De tijd heeft haar niets anders gegeven dan een eindeloze reeks steeds minder feestelijke verjaardagen, striae en nu kennelijk ook geheugenproblemen. Dus dan kan ze er net zo goed nog een nemen. Alle oplossingen zijn vloeibaar. Daar zal de stomme vis het mee eens zijn, al weet hij niets van problemen, want zijn arrogante marmer is niet vatbaar voor rimpels en verzakkingen. Ze heeft geen enkel begrip voor zijn boosheid en aangezien ze officieel heeft besloten dat ze de leeftijd heeft bereikt waarop ze de dingen zegt zoals ze zijn, moet haar van het hart dat de vis een aansteller is en dat de eerlijkheid wat haarzelf betreft gebiedt toe te geven dat ze niet langer mag hopen dat het beste nog moet komen.

Aldus laat Carmen zich tot de sluitingstijd van de Enoteca Internazionale adviseren over lokale wijnen.

9

Maar vanaf de derde dag van haar vakantie begint zij de slag te pakken te krijgen. Niets doen is minder moeilijk dan ze dacht. Het geheim is dat je er niet te veel over moet nadenken. Ze slentert op haar gemak door de dag en hoewel de leuke, jonge ober bij de Enoteca Internazionale inmiddels haar naam kent, eindigen haar avonden niet langer dramatisch.

Ze gaat naar het strand. De reepjes wanhopig vertier langs de weg naar het station, die ze heeft gezien toen ze aankwam en die in deze tijd van het jaar zo goed als uitgestorven zijn, laat ze links liggen. Ze heeft het echte strand ontdekt aan de andere kant van de kaap waarop het kasteel staat. Er is een mooi stuk vlak na het haventje, maar zij verkiest het om nog verder door te lopen naar links vanuit de stad gezien ('levante,' noemt Tiziana dat), waar de Via Corone omhoog begint te lopen in de richting van hotel-restaurant Porto Roca en het beroemde wandelpad naar Vernazza, Corniglia, Manarola en Riomaggiore, die samen met Monterosso bekendstaan als de Cinque Terre. Na de rots bij Ristorante Il Castello, die de kuststrook in tweeën deelt, neemt ze vanaf de Via Corone de trappen naar beneden en het deel van het strand waar zij dan op uitkomt, is haar strand.

Ze denkt het zelfs te herkennen, ook al is het koeler en rustiger dan haar herinneringen. Er steekt een rots in zee en als ze haar best doet, lukt het haar om zichzelf wijs te maken dat Antonio precies daar omhoogklauterde met zijn vlugge, olijfkleurige lijfje, glimmend van het zeewater, om haar, haar alleen en niemand anders, te laten zien wat hij allemaal durfde en kon. Hij was kleiner dan zij, maar op die leeftijd waren ook de meesten van de onbeduidende, bleke jongens in haar klas op haar school in Nederland nog kleiner dan zij. Ze denkt te weten dat hij net zo oud was als zij, of misschien een jaar ouder, maar ze kan zich niet herinneren of hij haar dat heeft gezegd of dat ze daar zonder reden van was uitgegaan. Ze liepen hand in hand over het strand, over dit strand, dat toen een woud was van parasols en nu zo goed als verlaten.

Ze dronken ijsthee uit geribbelde, witte plastic bekertjes met een gele deksel waar je een rietje met een scherpe punt doorheen moest prikken en ze lieten elkaar uit elkaars bekertje drinken. Ze zwommen de hele dag. Ze maakten ontdekkingstochten en vonden verborgen schatten onder water en op een dag raakten zijn lippen de hare.

Carmen heeft zin om te zwemmen, natuurlijk heeft ze zin om te zwemmen, maar het is maart, er staat een stevige, frisse wind en de zee is onstuimig. Dus ze zit op het verlaten strand, kijkt naar het spektakel van brullende golven die stukslaan op de klippen in een vuurwerk van wit schuim, ademt haar verleden en probeert zich voor de geest te halen wie zij was toen ze een leven geleden op ditzelfde strand was, wat ze toen dacht en wat ze van de toen nog onbevattelijk uitgestrekte toekomst verwachtte. Het lijkt alsof de zee in slow motion uiteenspat en alsof de klodders zeeschuim hun vlucht vertragen om indruk te maken en ermee op te scheppen hoe mooi en hoog ze kunnen vliegen, zoals Antonio, toen hij haar zijn hoogste zweefduik liet zien. Als ze het zich goed herinnert, was ze helemaal niet zo met de toekomst bezig toen ze zestien was. Ze was het mooiste meisje van de klas en de toekomst was een zorgeloze vanzelfsprekendheid. Ze probeerde het moment waarin ze leefde te vertragen door zo veel mogelijk te doen en zo min mogelijk te denken. Ze zweefde zo hoog als ze kon door haar jeugd. Bikini's stonden haar goed en ze was het leven nog niet verleerd.

Carmen begint er vrede mee te krijgen dat ze aan haar ridicule bevlieging heeft gehoorzaamd en op grond van een nogal theatrale overweging is teruggekeerd naar dit strand. Ze is er bijna klaar voor om zelfs een zekere trots te ervaren vanwege het feit dat ze zich aan haar belofte heeft gehouden zonder het nodig geacht te hebben dat iemand daar getuige van zou zijn en dat iemand de betrouwbaarheid van haar karakter hardop of in stilte zou prijzen. Het is nutteloos om hier te zijn, dat klopt, maar is niet alles nutteloos wat van waarde is? Betekenis is te vinden waar praktisch nut en persoonlijk gewin meewarig het hoofd afwenden. Juist het feit dat ze er zelf helemaal niets van verwacht, maakt haar gebaar stijlvol. Het zou ijdel en verwaand zijn om te spreken van een offer, want welbeschouwd hebben we het over een weekje vakantie, maar deze kleine, nodeloze pelgrimage naar het decor van een dierbare herinnering brengt haar dichter in de buurt van zichzelf en van de sensatie iets zinvols te doen dan al haar vroegere wereldreizen.

Misschien is dit ook het moment om het te zeggen. Carmen staat op. Ze loopt naar de woest schuimende zee. Ze haalt diep adem, maar bedenkt zich dan. Ze vindt het bij nader inzien toch een beetje aanstellerig. Maar wie hoort haar hier? Het moet, omdat het moet. Omdat symbolische daden tellen. Ze haalt opnieuw diep adem en roept dan, zo hard als ze kan, tegen de machtig zwellende golven van de zee: 'Ik ben het. Ik ben Carmen en ik ben terug. Sorry dat het zo lang heeft moeten duren. Ik werd elders opgehouden. Maar beloofd is beloofd. Hier ben ik.'

En dan, terwijl ze nog bezig is om haar gevoelens van trots en gêne vanwege deze voor haar bijzonder onkarakteristieke uitbarsting uit elkaar te halen, ziet ze hem. Hij klautert zijn rots op. Het kan hem niet zijn en hij is het niet. Het is zomaar een jongetje, dat uit de verte te beoordelen ook een stuk jonger is dan haar Antonio ten tijde van zweefduiken en onderwaterliefde. Het is zomaar een jongetje dat Antonio's rots beklimt, waar op zich uiteraard objectief gezien geen enkel bezwaar tegen gemaakt kan worden. Carmen kijkt gespannen naar hem. Hij kijkt niet terug. Hij is te druk met klimmen en hij lijkt iets te zoeken. Aan zijn uiterlijk en behendigheid te beoordelen is hij van hier. Waarschijnlijk zoekt hij schelpen of zeevruchten of zoiets.

Dan ziet Carmen hoe een hoge golf de rots overspoelt, waardoor de jongen zijn houvast verliest. Hij wordt door de kracht van het water van de rots af geslagen en valt in zee. Carmen bedenkt zich geen moment. Ze laat haar handtas onbeheerd achter, rent met haar kleren en al de zee in en zwemt naar de plek waar ze het jongetje in het water heeft zien belanden. Wanneer ze wordt opgetild door een golf, ziet ze hem in de verraderlijke branding waar het schuimende witte water kolkt tussen de klip en andere, kleinere rotsen. Het is niet ver, maar de zee stuwt haar met kracht de verkeerde kant op en haar kleren worden zwaar. Ze merkt dat ze in een ondiepte terecht is gekomen. Ze voelt de bodem onder haar voeten. Ze kan staan en worstelt zich lopend door de branding, terwijl ze zichzelf vooruithelpt met woest maaiende bewegingen van haar armen. Het spartelende joch is onder handbereik, maar de rotsen onder haar voeten zijn ongelijk en glad en ze verliest haar evenwicht. Ze gaat kopje-onder. De onderstroom sleurt haar weg naar open zee. Ze hapt naar lucht, maar een golf slaat over haar heen. Ze weet even niet meer wat onder en boven is.

Maar dan voelt ze een hand in haar nek aan haar kraag die haar boven water trekt. Het jongetje helpt haar overeind en ondersteunt haar met verrassend vaste hand bij haar middel. Met zijn hulp bereikt ze het strand, waar ze neerploft. Ze hoest van de inspanning en van het zeewater dat ze heeft binnengekregen. Hij gaat naast haar zitten, slaat haar behulpzaam met een vlak handje op de rug en zegt iets in het Italiaans.

'Nee, jij bedankt,' zegt Carmen. 'Wie heeft hier wie nou gered?' De rest van wat ze te zeggen zou kunnen hebben, wordt gesmoord in een nieuwe hoestbui. Daarna gaat het weer een beetje, behalve dan dat ze doorweekt is en het koud begint te krijgen. Ze kijkt haar manmoedige redder aan. Hoe oud zou hij zijn? Een jaar of elf, twaalf misschien. Het is moeilijk de leeftijd van een kind te schatten als je zelf geen kinderen hebt. Ze wil vragen hoe hij heet en terwijl ze bezig is te bedenken hoe ze dat in het Italiaans zou kunnen zeggen, ziet ze dat zijn gezicht vertrekt van de pijn.

'Wat is er?' vraagt Carmen geschrokken. 'Heb je je bezeerd?'

Hij antwoordt iets en laat haar zijn rechtervoet zien. Zij begrijpt meteen wat het probleem is. Hij is met zijn blote voet op een zee-egel getrapt. Tientallen gemene, zwarte stekels zijn in zijn voetzool gedrongen en afgebroken. Ze zitten als splinters onder zijn huid. Carmen weet wat haar te doen staat. Ze maakt haar nieuwe vriend met gebaren duidelijk dat hij moet blijven zitten waar hij zit, staat op en gaat haar handtas halen, die even verderop onaangeroerd op het strand ligt. Ze komt terug, gaat weer naast hem zitten, opent haar tas, pakt het etui met haar make-upspullen eruit en haalt een pincet tevoorschijn, die ze triomfantelijk omhooghoudt. Ze voelt iets van haar vroegere feministische trots in zich opwellen vanwege de superioriteit van de vrouwelijke sekse. Daarbij is ze dankbaar voor deze herkansing voor haar rol als redster in nood. Behoedzaam, nauwgezet en geduldig begint ze de stekels één voor één uit zijn voet te trekken. Ze krijgt het er warm van.

10

De volgende dag sluit de Enoteca Internazionale tot Carmens teleurstelling al om zes uur. Er zit niets anders op dan zich te verplaatsen. Maar alles is dicht. Ze begrijpt het niet.

'Heb ik je dat dan niet verteld?' vraagt Tiziana verstrooid. 'In ieder geval is het geen probleem. Ik heb op je gerekend. Er is wijn in huis. Ik heb mooie ansjovis gevonden, die ik net heb gefrituurd voor het aperitief of, zo je wilt, als voorgerecht. Anders is er nog cappon magro van gisteren. Dat is vis en groente in laagjes met een groene saus, koud opgediend. Daarna kan ik een pasta maken en ik heb ook twee ombrine. Ik weet niet hoe die in het Engels heten. Vissen. Zo eten we gezellig hier in de keuken vanavond.'

'Wat heb je me niet verteld?' vraagt Carmen.

'Dat alles met ingang van vandaag om zes uur dicht moet.'

'Van wie moet dat?'

Tiziana zucht als een actrice. 'DPCM noemen wij dat.'

'Ik snap er niets van.'

'Decreto del Presidente del Consiglio dei ministri.'

'Hetgeen zoveel wil zeggen als?'

'Een decreet van de premier.'

'De premier van Italië?'

'Van welk land anders?'

'Domme vraag. Daar heb je me, Tiziana. Maar ik moet blijkbaar concluderen dat de premier van Italië zich hoogstpersoonlijk met mijn drankprobleem is komen bemoeien en voor mijn bestwil per decreet heeft verordend dat mijn wijnbar op een significant vroeger tijdstip dient te sluiten. Laat mij op mijn beurt Zijne Excellentie de premier van Italië dan van repliek dienen door hem erop te wijzen dat ik helemaal geen drankprobleem heb. De eerste avond hier is een beetje uit de hand gelopen, dat geef ik toe, maar wat wil je? Dat was de eerste avond. Maar vervolgens heb ik mij, tot mijn spijt zou ik haast zeggen, keurig gedragen zoals een dame van mijn leeftijd zich behoort te gedragen. Wat is dit allemaal voor onzin?'

'Het is vanwege het virus,' zegt Tiziana zacht, alsof ze iets zegt wat ze liever niet had gezegd. Melancholisch wendt ze haar blik af naar het keukenraam.

Dit is het moment in het verhaal waarop Carmen, de pincetheldin, opeens allerlei dingen tegelijk begint de begrijpen. Uitgerekend wanneer ze zo ongeveer voor het eerst tijdens haar mondige bestaan een paar dagen op rij haar zelfopgelegde plicht verzaakt om met tegenzin Robs avondkrant door te bladeren, blijken er, eveneens zo ongeveer voor het eerst in haar leven, ontwikkelingen plaats te vinden in de wereld die haar persoonlijk raken. Voordat ze vertrok, had ze met een half oog gelezen dat er wetenschappers waren die ervoor waarschuwden dat de verspreiding van het nieuwe virus zou kunnen ontaarden in een epidemie, maar ze had dat afgedaan als stoeien met wilde hypothesen, hetgeen hun vak is, begrijp haar niet verkeerd. Maar als we nu op een punt zijn aanbeland waarop de premier van Italië nooddecreten uitvaardigt, kan dat alleen maar betekenen dat de werkelijkheid zich op onkarakteristieke wijze heeft geconformeerd aan hun theoretische scenario's. Dus daarom is het zo rustig in Monterosso. En omdat zo goed als iedereen hier leeft van het toerisme en niemand de weinige overgebleven bezoekers wil verjagen, heeft niemand haar iets gezegd, ook Tiziana niet.

'Ik moet mijn man bellen,' zegt Carmen. Ze schaamt zich dat ze dat nog niet heeft gedaan. Het is er tot nu toe gewoon nog niet van gekomen. Hij zit zich daar in L*** met het avondblad op schoot waarschijnlijk vreselijk ongerust te maken.

'Gebruik mijn telefoon maar,' zegt Tiziana. 'Weet je het nummer?'

Carmen kent het vaste nummer van hun huis. Rob neemt gelijk op. Hij zit naast de telefoon. Dat hoeft op zich nog niet te betekenen dat hij bezorgd is, want daar zit hij altijd.

'Waarom bel je op dit nummer?' vraagt hij nadat Carmen 'hallo' heeft gezegd.

'Mijn telefoon is gestolen.'

'Lekker handig.'

'Ja.'

'Ik heb je proberen te bellen.'

'Dat dacht ik al,' zegt Carmen. 'En wat zei de dief?'

'Je krijgt de groeten.' Rob is soms best grappig. 'Ben je nog steeds in Italië?'

'Ik ben er nog maar net. Mis je me nu al?'

'Het is een puinhoop daar,' zegt Rob. Hoewel Carmen hem zegt dat het vanuit haar gezichtspunt bezien best meevalt, begint hij uitgebreid uit de doeken te doen wat hij allemaal weet over de besmettingshaarden in de regio Lombardije, die zich in een angstaanjagend tempo over heel Noord-Italië hebben uitgebreid. Op het Nederlandse achtuurjournaal heeft hij beelden gezien uit Bergamo, waar het leger is ingezet om lijkkisten af te voeren naar andere regio's omdat er daar op de begraafplaatsen geen plaats meer is. En zij zit in Noord-Italië. Monterosso is in Ligurië en Ligurië is Noord-Italië. Hij mag dan wel gepensioneerd zijn als diplomaat, in aardrijkskundig opzicht hoeft niemand hem iets wijs te maken.

Carmen is hem dankbaar voor de informatie, want hoewel zij er middenin zit, weet zij van niets. 'En nu?' vraagt ze.

'Dat wilde ik nu juist precies aan jou vragen.'

'Denk je dat ik eerder terug moet komen?'

'Dat lijkt mij wel het allerdomste dat je kunt doen,' zegt Rob.

'Waarom?'

'Nou, dat lijkt mij nogal logisch.'

Carmen begint het te snappen en ten overvloede zegt Rob

het ook expliciet: hij is doodsbang voor het virus. Hij is sowieso nooit een held geweest met ziekten. Ze herinnert zich alle doemscenario's waarvan hij zichzelf overtuigde toen hij een keer een buikgriepje had opgelopen in Cotonou. Via diplomatieke kanalen had hij de repatriëring van zijn eigen stoffelijk overschot al bijkans georganiseerd. Mocht het besmettelijke virus Nederland ooit bereiken, dan zou hij zichzelf zonder enige twijfel angstvallig opsluiten in hun huis, hetgeen overigens een gering offer zou zijn want hij kwam toch nauwelijks buiten de deur. Het laatste dat hij zichzelf toewenste, was de terugkeer van zijn geliefde echtgenote, hongerig naar omhelzingen, vanuit de ernstigste besmettingshaard van Europa. Oké. Als de zaken er zo voor staan, staan de zaken er zo voor.

'Ik zal om te beginnen eens informeren wat er wordt geadviseerd,' zegt Carmen. Van zo'n soort frase krijgt ze zin om te tennissen en trek in sherry, maar ze heeft lang genoeg in diplomatieke kringen verkeerd om te weten dat nietszeggendheden van procedurele aard in veel gevallen de beste oplossing vormen. Rob is het met haar eens. Hij klinkt enigszins opgelucht. Hij laat haar beloven voorzichtig te zijn. Zij zegt dat ze hem op de hoogte zal houden.

II

Na bij de gegrilde ansjovisjes alle argumenten stuk voor stuk bij de staart gepakt te hebben en bij de cappon magro geconcludeerd te hebben dat de kwestie gelaagd is, waarbij Carmen nu ook opeens begrijpt waarom er geen nieuwe reserveringen zijn binnengekomen voor Titi's B&B en waarom Tiziana genereus meermaals herhaalt dat een verlenging van haar verblijf geen enkel probleem zou opleveren, na een tweede fles wijn opengemaakt te hebben, bij de pasta als vrouwen onder elkaar gesproken te hebben over de liefde en het hoofdgerecht te hebben overgeslagen, horen Carmen en Tiziana, die nu pistache-ijs lepelen uit koffiekopjes en elkaars vriendinnen geworden zijn, dat er op de deur wordt geklopt.

Typisch Italiaans, denkt Carmen, om te kloppen als er ook een bel is. Altijd oog hebben voor alternatieve oplossingen, zelfs in die gevallen waarin er geen sprake is van een probleem. En hoe weet zij dat dan, dat er ook een bel is? Omdat ze die zelf heeft gebruikt om aan te bellen toen ze hier een paar dagen geleden arriveerde. Zo zie je maar. Zelfs als je nergens over nadenkt, doe je alles nog fout.

'Het is voor jou,' zegt Tiziana.

'Wat bedoel je?'

En dan begrijpt Carmen dat ze, na bijna een fles wijn per persoon, dat moet ze er wel bij zeggen, alles alsnog verkeerd heeft begrepen, want achter Tiziana komt een jongetje de keuken in, dat heeft aangeklopt omdat hij nog niet groot genoeg is om bij de bel te kunnen. Het zou een moment zijn om, in lijn met haar recente obsessie voor onmogelijke vragen, te verzinken in de vraag hoe een sterveling om het even wat vermag te bevatten als zelfs een simpele deurbel al aanleiding geeft tot misverstanden, maar in plaats daarvan springt ze verheugd op, want ze herkent het jongetje als haar jongetje. Hij heeft een mand citroenen bij zich.

'Uit de tuin van zijn oma,' zegt Tiziana. 'Voor jou, Carmen. Om je te bedanken.'

'Ik zou hem moeten bedanken,' zegt Carmen. Ze is ontroerd. 'Hoe heet je?' vraagt ze aan hem.

Tiziana vertaalt. Hij blijkt Oronzo te heten. Ja, Tiziana

vindt dat ook een vreemde, mooie, zeldzame naam. Oronzo zegt dat hij er trots op is dat zijn vader en moeder die naam voor hem hebben uitgekozen, want zo heeft hij iets speciaals, dat alleen van hem is en dat niemand hem kan afnemen, als aandenken aan hen. Ze geven hem ook een koffiekopje pistache-ijs. Ja, zijn ouders zijn overleden. Veel meer heeft hij daar niet over te zeggen. Het is lang geleden. Hij was nog te jong om er veel van onthouden te hebben. Sindsdien woont hij bij zijn oma en zou hij misschien nog een beetje ijs mogen? Wat een heerlijk joch is het toch.

'Waarom heb jij eigenlijk geen kinderen?' vraagt Carmen aan Tiziana wanneer Oronzo op een voorspelbaar aandoenlijke manier gedag heeft gezegd en braaf is teruggegaan naar zijn oma.

'Ik heb een dochter,' zegt Tiziana. 'Giulia.'

'Julia?'

'Giulia. Ze studeert in Milaan.' Tiziana legt haar hoofd op haar armen die op de keukentafel rusten.

'Dan was je er al vroeg bij.'

'Ik ben ouder dan je denkt.' Ze blaast een zwarte lok uit haar gezicht. 'Ik zie haar weinig. Ze is een vrouw van de wereld geworden, denkt belangrijke vrienden te hebben en vindt haar moeder in Monterosso te provinciaal voor haar zelfbeeld en voor haar toekomstplannen.'

'Maar ze komt af en toe hier, neem ik aan,' zegt Carmen.

'Ben je gek? Daar vindt ze zichzelf veel te mondain voor. Ze belt me niet eens. Of alleen als ze weer eens geld nodig heeft.'

'Niets is hondser dan een vrouw,' zegt Carmen.

'Pardon?'

'Dat was een citaat. Agamemnon zegt dat in de onderwereld tegen Odysseus in de *Odyssee* van Homerus. En hoewel Agamemnon enig recht van spreken had, omdat hij door zijn vrouw in bad met een bijl was vermoord, is het in de huidige situatie nogal ongepast als citaat, mijn excuses. Ik moest eraan denken omdat ik vroeger een feministische boekhandel runde in Amsterdam, samen met mijn vriendin Vera. Bij wijze van geuzennaam, hoe zeg je dat, geuzenbeeld, hadden we de hond als logo gekozen en de winkel Cave genoemd, van Carmen en Vera, maar ook zoals in cave canem, pas op voor de hond. Maar iedereen noemde de winkel The Cave en niemand snapte het hondje. Sorry. Ik weet ook niet waarom ik dit nu vertel. Ik heb misschien een beetje te veel gedronken.'

Tot haar verrassing begint Tiziana onbedaarlijk te lachen. En ze is er erg goed in om hard te lachen, een waar natuurtalent, haar hele gezicht heeft deel aan de uitbundigheid, ze gooit haar hoofd in haar nek waardoor haar donkere haren dansend haar vrolijkheid omlijsten, haar ogen stralen als gepolijste zwarte agaten en ze strekt haar armen met fladderende mouwen ten hemel als een filmster. Bij al dit machtsvertoon heeft Carmen geen andere keuze dan ook een beetje mee te lachen, al begrijpt ze niet wat er grappig is.

'Als je mij, in antwoord op mijn bekentenis van misschien wel het grootste verdriet in mijn bescheiden leven gedurende de laatste jaren, tracht te troosten door de klassieken te citeren,' zegt Tiziana, 'dan vind ik dat niet geheel ongrappig.'

'Ik wilde je niet beledigen.'

'Dat weet ik. Maak je geen zorgen.' Tiziana maakt een elegant wegwerpgebaartje en lacht. 'Maar het grappigste is misschien nog wel dat je bij voortduring opzichtig faalt in je brave pogingen om doorsnee te zijn en dat je dat zelf niet doorhebt.'

'Het is, als ik heel eerlijk ben, wellicht eerder mijn ambitie om uitzonderlijk te zijn,' zegt Carmen.

'Dat is precies wat ik bedoel.'

'Het lijkt verdacht veel op het tegenovergestelde van wat je eerder zei.'

'Nee, je snapt het niet en precies dat is komisch,' zegt Tiziana. 'Wat is gewoner dan de wens bijzonder te zijn? De aspiratie om opmerkelijk te zijn is misschien wel het voornaamste kenmerk van alledaagsheid. Wie speciaal is, streeft er niet naar om speciaal te zijn. En jij zit in je bloemetjesjurk de bibliotheekmoeder uit te hangen die hunkert naar een verhaal, terwijl je niet doorhebt dat je boordevol verhalen zit. In een oogwenk neem je me mee naar een ontmoeting tussen twee helden in de Griekse onderwereld, alsof het niets is.'

'Dat zijn geleende verhalen,' zegt Carmen. 'Afgedragen tweedehandsjes. Het is beter dan niets, dat geef ik toe, maar het is toch iets anders dan zelf een leven te leiden waarover alle grote schrijvers wel een boek zouden willen schrijven.'

'Is dat wat je wilt?'

'Vind je dat belachelijk romantisch?'

'Dan moeten we daar iets aan doen,' zegt Tiziana. Ze leunt theatraal voorover en kijkt Carmen met glanzende ogen aan. 'Ik heb een verrassing voor je,' zegt ze. 'Ik heb Antonio gevonden.'

12

Carmen heeft een hekel aan cliffhangers. Ze vindt het een vorm van sadisme om uitgebreid verwachtingen te gaan zitten wekken om vervolgens met irritante pretoogjes veelbetekenend te zwijgen. Je kunt een circusshow niet eindigen met tromgeroffel omdat je kaartjes wilt verkopen voor de volgende voorstelling. Dat zou onethisch zijn. Het is net zo immoreel wanneer een schrijver, die precies weet naar welke climax hij al pagina's lang toe zit te werken, vlak voor het grote moment, dat hij omwille van de suspense sowieso al tot de grens van het verdraaglijke heeft uitgesteld, op de pauzeknop drukt en triomfantelijk om zich heen gaat zitten kijken omdat hij zo meesterlijk verwachtingen heeft gewekt. Stel je voor dat de schepper van hemel en aarde hetzelfde doet en precies op het moment waarop een van zijn kwetsbare, sterfelijke schepsels in de afgrond valt en zich nog net met de verkrampte vingers van één hand weet vast te klampen aan een overhangende rots, de omwenteling van de aarde en van de hemellichamen stilzet, de filmmuziek laat aanzwellen en de aftiteling door het firmament laat rollen om ons over te halen om morgen vroeg uit ons bed te komen en geen minuut te missen van de volgende dag in zijn adembenemende creatie. Cliffhangers zijn goedkoop effectbejag. De lezer wordt met een pistool op de slaap gedwongen om te bekennen dat het verhaal spannend is. De truc werkt altijd en precies daarom is het een verwerpelijke truc.

Maar Tiziana wil er verder niets over kwijt. Een verrassing is een verrassing en Carmen moet geduld hebben.

'Als je mijn geduld per se op de proef wilt stellen,' zegt Carmen, 'dan moet je daar wel een beetje mee opschieten. Mijn vakantie is bijna voorbij.'

'Het is amusant dat je er zo hardnekkig in blijft geloven dat je weggaat,' zegt Tiziana.

De daarop volgende dagen geven Tiziana gelijk. De Enoteca Internazionale wordt op last van de regering de hele dag gesloten. Hetzelfde geldt voor alle andere cafés, restaurants en winkels die niet voorzien in de eerste levensbehoeften. Men mag zich alleen nog op straat begeven als dat noodzakelijk is. Dit alles zou een reden kunnen zijn om het rampgebied te ontvluchten, maar wanneer Carmen op Tiziana's computer de website van KLM raadpleegt, wordt bevestigd wat ze al vreesde: haar vlucht is geannuleerd, evenals bijna alle andere vluchten van en naar Noord-Italië. Reizen wordt ten zeerste afgeraden. Ze heeft als Nederlands staatsburger altijd het recht om terug te keren naar Nederland, dat wordt bevestigd op de website van de Nederlandse ambassade in Rome, maar ze begint in te zien dat een dergelijke reis in praktische zin zo goed als onmogelijk te organiseren valt. Ze zou zich op een van de schaarse vluchten vanuit Rome moeten invechten, maar zelfs als dat lukt blijft de vraag hoe ze van Monterosso in Rome zou moeten komen, want binnenlandse vluchten of treinen zijn er niet of nauwelijks en bovendien is het officieel verboden om zich buiten de gemeentegrenzen te vervoegen. Daar zou ze dus een ontheffing voor nodig hebben, maar het is onduidelijk waar zij die dan zou moeten aanvragen. Ze belt Rob om te overleggen. Hij is het onmiddellijk met haar eens. Het is gezien de omstandigheden het meest verantwoord, ook epidemiologisch gezien, om te blijven waar ze is totdat het virus is overgewaaid. Ze besluit Tiziana's aanbod te aanvaarden. Tiziana is daar niet verbaasd over.

Het gedenkwaardige diner in Tiziana's keuken is het startschot voor een nieuwe routine. Ze eten elke dag zowel 's ochtend als 's middags en 's avonds samen. Carmen helpt met koken, omdat ze er plezier in heeft om Italiaanse gerechten te leren en omdat ze toch niets beters te doen heeft, en ze doet de boodschappen, omdat dat een reden is om even de straat op te gaan. Veel meer gebeurt er niet en dat is goed zo. Nu de verplichting om van haar vakantie te genieten van haar is afgevallen, geniet Carmen met volle teugen. Het feit dat er niets te doen is, is een voortreffelijk excuus om niets te doen. Ze begint haar smaak voor onmogelijke vragen kwijt te raken.

Conform de draconische bepalingen van het jongste decreet is het ten strengste verboden om zich voor iets anders dan voor de aanschaf van levensmiddelen en medicijnen buitenshuis te begeven, maar er wordt een uitzondering gemaakt voor individuele sport en lichaamsbeweging binnen een straal van tweehonderd meter rond het woonadres en Carmen beroept zich op deze clausule om bijna elke dag een uurtje of langer naar haar strand te gaan, dat zich evenals de rest van Monterosso binnen de wettelijk toegestane afstand van Titi's B&B bevindt, want in het geval dat ze wordt aangehouden, wat overigens nooit gebeurt, kan ze altijd zeggen dat ze van plan is om in individueel verband te gaan zwemmen, hetgeen ze naarmate de dagen lengen en warmer worden steeds vaker daadwerkelijk doet.

De zee rilt nog na van de winter, maar Carmen houdt van zwemmen en dit is haar zee, die haar elke keer, naarmate zij haar beter leert kennen, steeds delicater liefkoost, alsof ze zich met terugwerkende kracht steeds schuldiger voelt over haar onbehouwen gedrag bij hun eerste, hernieuwde kennismaking. Van besmettingsgevaar is geen sprake. Carmen heeft de hele Middellandse Zee voor zichzelf. Wanneer ze zich laat wiegen door de golven en haar ogen sluit, kan ze Gibraltar en Cyprus met haar vingertoppen aanraken, terwijl haar tenen tot aan Egypte reiken. Wanneer ze haar ogen weer opent, zwemt ze tussen de rotsen en het kasteel van Monterosso in het blauw dat de kleur is van haar ziel en dat aan de horizon bijna paars wordt van pogingen om nog blauwer te zijn. Zonlicht giechelt om het vernis op het water. Ze duikt door de hoogglans heen en zweeft ademloos door de diepe stilte, waar geen vis haar aankijkt, waar de waarheid ergens verborgen ligt en waar haar herinneringen veilig zijn.

13

'Ze is ziek,' zegt Oronzo.

Carmen ziet hem vaak, laatst eigenlijk elke dag, op haar strand dat steeds meer hun strand wordt. Hij zwemt niet. Hij kan het wel, maar hij doet het alleen als het nuttig is. Zo lijkt zij het kind, dat zich uitleeft door te plenzen in het water, terwijl hij als een serieuze en verantwoordelijke ouder op het strand blijft zitten, naar haar kijkt en wacht tot zij is uitgedarteld, uit het water komt en moegezwommen naast hem neerploft op de badhanddoek die ze van Tiziana heeft geleend. Dan praten ze. Met het onuitputtelijke geduld van twee mensen die er goed in zijn om samen naar de zee te kijken en die ook volmaakt op hun gemak zijn als er daarbij niets wordt gezegd, overbruggen ze de taalbarrière met kleine zinnetjes die niets belangrijks betekenen en die je desondanks kunt uitleggen met gebaren of met het aanwijzen van dingen, als je daar de tijd voor neemt. Ook hierbij lijkt Oronzo de volwassene, die Carmen lachend corrigeert als zij het woord dat hij eerder heeft gezegd verkeerd onthouden heeft. Dankzij zijn genegen en edelmoedig onderricht begint zij hem steeds beter te begrijpen en spreekt zij inmiddels ook een beetje Italiaans, een paar woordjes slechts, maar Oronzo en zij hebben aan weinig woorden genoeg.

Ze begint kortom steeds meer op hem gesteld te raken en het heeft er alle schijn van dat dat wederzijds is. Ze geven de meeuwen namen en lachen om niets. Hij kan, als hij daar zin in heeft, een handstand voor haar doen en dan denkt zij aan vroeger en aan Antonio. Af en toe vertelt zij in het Nederlands over haar leven en dan luistert hij, terwijl hij nadenkend met een stokje tussen de kiezels peutert. Ze groeten el-

57

kaar niet als ze weer naar huis gaan, want ze weten dat ze in elkaars buurt blijven en dat hun strand op hen zal wachten. Carmen begrijpt heel goed dat haar kinderloosheid haar gevaarlijk vatbaar maakt voor vertedering, dat het knulletje meedogenloos haar zwakke plek heeft gevonden door te bestaan en dat hij met een stokje zit te peuren in decennia geleden begraven moederinstincten, maar waarom zou ze zich daartegen verzetten?

En daar komt bij dat ze het ene boek dat ze uit de Openbare Bibliotheek van L*** heeft meegenomen voor haar vakantie, omdat ze toen nog dacht dat ze maar een weekje weg zou zijn, inmiddels uit heeft en dat zij beseft dat *De dood in Venetië* toepasselijker dreigt te worden dan ze zelfs als bibliotheekmoeder had kunnen voorzien. Gedurende een epidemie heeft ze zichzelf geïnstalleerd in een kustplaats in Italië en zij is, als ze dat woord mag gebruiken, verliefd geworden op een jongetje. Als haar verhaal afloopt zoals het bij Thomas Mann afloopt, zal zij hier aan zee in een strandstoel creperen. Ze stelt zichzelf gerust met de constatering dat er hier geen strandstoelen zijn en dat de dingen in haar leven nooit zo mooi gaan als in de boeken.

Ze heeft nieuwe boeken nodig, want hoewel het kleine leven met Tiziana en Oronzo in de kleine wereld van de quarantaine haar gelukkig maakt op een manier waarover ze zich bijna schuldig voelt, mist ze de grote verhalen. Ze heeft natuurlijk ook veel te weinig kleren ingepakt, maar ze heeft met enige goede wil bijna dezelfde maat als Tiziana en mag een paar ruimvallende jurkjes lenen, waarin ze zich jong en Italiaans voelt en vanzelf met haar handen gaat bewegen als ze praat. Maar Tiziana's boeken zijn in het Italiaans en Oronzo's lessen hebben haar nog niet op het niveau gebracht dat zij de gedichten van Montale in het origineel kan lezen en hoewel zij van poëzie houdt, zijn dat geen verhalen.

Misschien kan ze Rob bellen en vragen of hij iets opstuurt. De posterijen zijn bij haar weten nog steeds operationeel. Maar Tiziana's jurkjes maken haar ook Italiaans in die zin dat ze begint in te zien dat alles wat men vandaag kan doen ook morgen nog gedaan kan worden.

Maar zij is ziek. Het woord voor 'ziek' heeft ze geleerd en Oronzo heeft de vrouwelijke uitgang gebruikt, daar is zij zeker van. Dat kan maar over één iemand gaan. Nadat ze zich weer heeft aangekleed in Tiziana's felrode fladderjurk en Oronzo heeft meegenomen naar Titi's B&B, waar hij het hele verhaal nogmaals vertelt aan Tiziana, blijkt dat Carmen het inderdaad goed heeft begrepen. Zijn oma is die ochtend met ademhalingsproblemen opgenomen in het ziekenhuis. Volgens Tiziana ligt het het meest voor de hand dat zij naar Sestri Levante is gebracht. Ze belt het ziekenhuis en na enig aandringen is men bereid haar vermoeden te bevestigen. Oronzo's oma is besmet met het nieuwe virus. Haar toestand is stabiel, maar ze kan niet zelfstandig ademen. Ze heeft zuurstof nodig. Ze ligt niet op de intensive care, wat goed nieuws is, maar het slechte nieuws is dat zij oud is. Elke prognose zou een slag in de lucht zijn. Nee, bezoek is uitgesloten, dat zal op begrip kunnen rekenen. Maar ze is in goede handen.

Tiziana en Carmen overleggen. Oronzo heeft verder niemand. Hij kan niet voor zichzelf zorgen. Hij kan niet alleen in dat huis blijven. Tiziana heeft niet echt een kamer over, maar ze heeft wel een kinderbedje dat ze soms gebruikt voor haar gasten en dat ze in Carmens kamer kan zetten. Gezien de omstandigheden heeft Carmen daar geen bezwaar tegen. Als ze eerlijk is tegen zichzelf en als het gezien diezelfde omstandigheden niet zo cru zou klinken, moet ze eigenlijk toegeven dat ze het prachtig vindt.

14

Als Carmen de volgende ochtend, na aanvankelijk geschrokken te zijn omdat het kinderbed op haar kamer leeg is,
de keuken in loopt en Oronzo met een gek petje op samen
met Tiziana lachend bezig ziet om het ontbijt klaar te zetten, wordt ze gedurende een fractie van een seconde in volle hevigheid overvallen door een gevoel dat ze nog nooit
eerder heeft gehad en dat ze toch feilloos herkent als het gevoel dat een vrouw heeft die moeder is. Deze sensatie wordt
onmiddellijk overstemd door een complex van gevoelens
van schuld, schaamte en spijt, vanwege het feit dat ze zichzelf toestaat gelukkig te zijn over een tragische samenloop
van omstandigheden en omdat ze weet dat ze zich laat meeslepen door een surrogaat, een sentiment dat zoals alles in
haar leven plaatsvervangend is en dat bovendien, hoe ze het
ook wendt of keert, tijdelijk zal zijn, maar ze heeft het ge-
voeld. Hoewel ze wil helpen met het ontbijt, moet ze even
gaan zitten.

'Wat een leuk petje, Oronzo,' zegt ze. 'Laat eens zien.'

'Dat heeft hij in mijn gangkast gevonden,' zegt Tiziana.
'Een van mijn gasten heeft het ooit hier achtergelaten.'

Oronzo trekt het petje over zijn ogen en komt vlak voor
Carmen staan. Het is een donkerblauw petje met een groot
rood hart en de tekst 'Monterosso mon amour'. En daarmee
krijgt Carmen dat gevoel opnieuw.

'Hetgeen ons brengt op het volgende,' zegt Tiziana terwijl ze de focaccia op tafel zet. 'Vandaag is een belangrijke
dag.'

'Hoezo?' vraagt Carmen.

'Antonio,' fluistert Tiziana. Het is bewonderenswaardig

hoe pregnant, theatraal en emfatisch Tiziana kan fluisteren. Ze geeft elk van de lettergrepen afzonderlijk een lading en kijkt erbij alsof ze Carmens lievelingstoetjes opsomt. Het ergert Carmen. Tiziana merkt dat. 'Ik weet dat ik mij er nog meer op verheug dan jij,' zegt ze. 'Maar beloofd is beloofd.'

'Ik geef je toestemming om je belofte te breken,' zegt Carmen.

'Ik had het over jouw belofte.'

'Laat mij maar even.'

'Geen sprake van.'

'Echt, Tiziana, het is goed zo. Ik dank je voor je betrokkenheid en voor eventuele inspanningen die je je hebt getroost, maar voor mij is het genoeg om hier te zijn. Ik heb tegen de zee gezegd dat ik terug ben gekomen en ik heb jou en Oronzo ontmoet en dat is een grotere beloning dan waarop ik had mogen hopen. Ik heb geen enkele behoefte om mij in mijn nadagen op te dringen aan een Italiaanse heer van min of meer mijn leeftijd die zijn eigen leven heeft, met hypotheeklasten, huisdieren, pensioenpremies en waarschijnlijk ook een vrouw, en die er met zekerheid niet op zit te wachten om het wrede verval waaraan een vroegere vakantieliefde ten prooi is gevallen met eigen ogen te aanschouwen.'

'Je mag niet vluchten voor een verhaal.'

Carmen blijft protesteren. Ze meent het. Maar ook Tiziana meent het en van haar militante generositeit valt niet te winnen. Tiziana is zo iemand die haar gebrek aan doortastendheid met betrekking tot haar eigen behoeften en belangen compenseert met een ijzeren vasthoudendheid als ze een kans ziet om iets voor een ander te doen. Ze is een fundamentaliste in haar altruïsme en haar hartstochtelijke gedrevenheid om een ander een gunst te bewijzen kan door niets of niemand worden afgeremd en zeker niet door de banale bijkomstigheid dat die ander die gunst niet op prijs stelt.

Oog in oog met het vuur van haar passie is zwichten verplicht. Carmen zwicht niet, maar dat verandert niets aan het voldongen feit dat er een plotwending voor haar is georganiseerd. De vraag of zij al dan niet van zins is mee te werken aan haar eigen toekomst, is in wezen irrelevant.

Tiziana legt het uit. Ze heeft uitgebreid navraag gedaan en als er iemand grondig is in buurtonderzoek, dan is zij het. Er woont in heel Monterosso één man die Antonio heet en die de juiste leeftijd heeft, als ze de broer van de kapper op Piazza Giuseppe Garibaldi niet meerekent, maar die is import en woonde als kind in de Veneto. Dat is op zich ook een interessant verhaal, maar dat is voor het moment even niet belangrijk. De als enige overgebleven potentiële Antonio woont in Monterosso in die zin dat hij, als ze gedwongen wordt zich nauwkeuriger uit te drukken, zijn hele leven in Monterosso heeft gewoond maar enkele jaren geleden is verhuisd naar Levanto. Maar hij werkt hier in de stad, althans vlak erbuiten, in de villa die van Montale is geweest en die nu is getransformeerd in een expositie- annex receptieruimte met luxe gastenverblijven. Haar plan was om deze kandidaat-Antonio daar met Carmen te verrassen, maar de epidemie heeft roet in het eten gegooid. De villa is gesloten voor publiek. Ze kunnen in theorie niet eens naar Levanto zonder speciale ontheffing. Dus daarom heeft het allemaal iets langer geduurd. Maar omdat zij er niet de vrouw naar is om zich erbij neer te leggen dat dingen onmogelijk zijn, heeft ze een afspraak weten te regelen en die afspraak is vandaag. De villa wordt speciaal voor hen geopend. De enige prijs die ze daarvoor heeft moeten betalen, is dat ze het voordeel van de verrassing heeft moeten opgeven. Hij verwacht haar. Om hem zover te krijgen dat hij bereid is de regels flexibel te interpreteren, heeft ze moeten zeggen wie Carmen is. Hij herinnert zich haar. Hij verheugt zich erop haar weer te zien. Tiziana danst door de keuken.

En zo gebeurt het dat Carmen, die ondanks haar demonstratieve tegenzin toch Tiziana's rode jurk heeft aangetrokken en haar schoenen met hakjes, vloekend haar lippen stift en achter Tiziana en Oronzo aan over de Via Fegina ten westen van de oude stad de heuvel, die Punta del Mesco heet, op loopt naar de art-decovilla uit 1880, die in die tijd de Villa van de Twee Palmen heette en die Montale de Vaalgele Pagode noemde, alwaar zij door Tiziana wordt voorgesteld aan een lange, magere heer op leeftijd, die zich zichtbaar niet op zijn gemak voelt in het pak dat hij voor die gelegenheid heeft aangetrokken, die haar verlegen een gele roos overhandigt en die zich tot Tiziana wendt om Carmen via Tiziana's vertaling te laten weten dat hij Antonio heet, dat Carmen nog bijna net zo mooi is als vroeger, dat hun eerste zoen op het strand tot zijn zoetste herinneringen behoort, dat hij nog jaren op haar heeft gewacht en iedere zomer hoopte dat zij terug zou keren om zijn leven te vervolmaken, dat hij uiteindelijk, maar niet zonder pijn en moeite, een pad heeft gevonden dat hem wegleidde van het gemis, maar dat hij desalniettemin ontroerd en bijzonder verheugd is dat zij zich aan haar belofte heeft gehouden en dat het hem is vergund haar weer te zien, waarna hij tot zijn spijt moet mededelen dat een rondleiding door de villa krachtens het decreet niet tot de mogelijkheden behoort, waarvoor hij begrip vraagt, en met een onhandige buiging afscheid neemt van Carmen, die vervolgens in haar rode jurk met een gele roos in haar hand achter een glunderende Tiziana en een huppelende Oronzo aan over de Via Fegina afdaalt in de richting van het station en de oude stad en van verbijstering niet weet wat ze moet denken.

15

Er loopt een hert op het strand. Het lijkt een droom. Carmen is bereid om zonder enige vorm van verzet te geloven dat ze haar verstand begint kwijt te raken, dat het hert evenals de onwerkelijke ontmoeting met haar eerste liefde van de dag daarvoor een hersenspook is en dat ze klaarblijkelijk ten langen leste de leeftijd heeft bereikt waarop drogbeelden, waanvoorstellingen en zinsbegoochelingen als sluiers over de werkelijkheid vallen, maar Oronzo ziet het ook, want hij fluistert dat het hert door zijn oma is gestuurd om hem gerust te stellen en te vertellen dat het goed met haar gaat. Gezien het feit dat het hert derhalve echt dient te worden geacht, is het, nog los van de vraag of Oronzo gelijk heeft om het als een boodschapper uit het ziekenhuis van Sestri Levante te beschouwen, niets minder dan een wonder dat het hier zomaar op enkele meters van de schuimende zee op hun strand loopt, dus dwingt Carmen zich om beter te kijken. Zo'n hert blijkt een ontroerend teer en breekbaar bouwwerk te zijn. Het is zo dun dat je je afvraagt waar in het hert het hert zit. Voorzichtig als een ballerina op spitzen tippelt het over de kiezels. Met schokjes van zijn spitse kop kijkt het schichtig om zich heen. Carmen is er zeker van dat het hen ziet, want ze kijkt op een gegeven moment recht in een van zijn bambiogen, maar het is niet bang, want ze staan doodstil op geruime afstand. Door de per decreet opgelegde quarantaine zijn de stad, de boulevard en het strand, waar normaal gesproken rond deze tijd van het jaar het hoogseizoen op uitbarsten staat, dusdanig uitgestorven dat de dieren deze plekken niet meer mijden als luidruchtig, stinkend en gevaarlijk mensenland. Het hert

staat een ogenblik roerloos als een standbeeld dat is op-
gericht ter herdenking van de dag dat er op het strand van
Monterosso een hert werd gezien, en slaat dan plotseling,
opgeschrikt door iets wat mensen niet kunnen waarnemen,
met een verbijsterende gezwindheid op de vlucht. Het vliegt
over het strand als een kiezel die over het water scheert. De
door mensenhanden gemaakte mensentrap vormt geen enkele hindernis en over de Via Corone vlucht het de heuvels
in.

Meteen al op de terugweg van de villa naar beneden werd
Carmen door Tiziana besprongen met vragen. Ze ant-
woordde vaag en ontwijkend, waarop Tiziana innig tevreden en niet geheel ten onrechte concludeerde dat Carmen
in de war was en een beetje tijd nodig had om het weerzien
te verwerken. De hele avond liep Tiziana stralend om haar
heen te glunderen, opzichtig normaal in de weer met potten,
pannen, ingrediënten, borden, duizenddingendoekjes en de
kurkentrekker, vooral met de kurkentrekker, maar op een
gegeven moment hield ze het niet meer en vroeg ze Carmen
hoe ze zich voelde.

'Weet je wat het is, Oronzo?' zegt Carmen. 'Ik kon die
vraag gisteren niet beantwoorden en nu pas begrijp ik waarom.' Ze zitten op hun strand op de plek waar net nog een
hert liep en ze kijken naar de zee, die grijs is vandaag en niet
de kleur heeft die Carmens ziel het liefst aanneemt. 'Ik kon
niet zeggen hoe ik mij voelde, omdat ik met de beste wil
van de wereld niets voelde. Die meneer was een volslagen
vreemde voor mij. Er is te veel tijd verstreken in de echte
wereld, terwijl ik mijn herinneringen al die tijd heb behoed
voor de tand des tijds en voor verandering door ze als een
kostbare schat te koesteren in de vitrine van mijn geheugen,
en het gevolg daarvan is dat niets, maar dan ook niets van de
man die Antonio is geworden nog herinnert aan mijn herin-

neringen. Jij doet me meer denken aan de Antonio die ik heb gekend dan deze Antonio die Antonio kennelijk is geworden. Zo goed kon ik het gisteren niet uitdrukken. En ik wilde Tiziana niet teleurstellen, als je begrijpt wat ik bedoel. Zij had nog meer naar dit happy end toegeleefd dan ik. Dus daarom zei ik wat ik zei. En natuurlijk was hij ook daadwerkelijk charmant, met zijn roos en zijn slechtzittende pak en zijn onhandige buiging en zijn bekentenis dat hij jaren op mij heeft gewacht. Maar onder ons gezegd en gezwegen, Oronzo: ik vond het gênant. Vooral die bekentenis, die regelrecht uit *Liefde in tijden van cholera* leek te zijn geplukt, maakte mij ongemakkelijk. Als romanpersonages zijn zowel hij als ik, met al dat gewicht van nutteloos verleden en dagelijks gedoe op onze schouders en met onze veel te gewone gezichten en levens, verkeerd gecast. Al die romantiek is ongeloofwaardig. Vind je mij cynisch, Oronzo? Ben ik ondankbaar?'

Oronzo peurt nadenkend met een stokje tussen de kiezels.

'Je hebt gelijk, Oronzo. Het is wat het is en dit hebben we dan ook weer gehad. Ik ga zwemmen.'

'Misschien kunnen we aan die aardige meneer van gisteren vragen of hij ook een keer met ons meekomt,' zegt Oronzo. 'Dan kun je met hem zwemmen.'

Carmen lacht. 'Dat is een goed idee van jou, Oronzo. Antonio kan zwemmen als de beste.'

Ze doet haar jurk uit, ze vouwt hem op en legt hem op haar handtas en ze loopt de zee in. Het water verdunt haar gedachten. Eerbiedig, alsof ze het huis van iemand anders betreedt, zwemt ze een stukje weg van de kust naar open zee. De diepte zwelt aan als muziek bij een belangrijke scène. Dan zakt ze in de wereld onder het areaal van de wereld, waar geen vis lucht heeft gekregen van oppervlakkigheden, waar de stilte van de waarheid zich uitstrekt en waar haar herinneringen al die jaren onaangetast zijn gebleven. Wanneer ze weer met haar hoofd boven water komt, heeft ze begrepen dat er iets niet klopt.

16

Het kost Carmen geen enkele moeite om Tiziana ertoe te bewegen om voor haar een tweede afspraak te regelen met Antonio. Tiziana heeft er eveneens onmiddellijk alle begrip voor dat Carmen deze keer liever alleen gaat. Ze glimlacht veelbetekenend en drukt Carmen meermaals op het hart dat ze zo lang moet wegblijven als nodig is. Ze moet een paar dagen wachten totdat Antonio weer beschikbaar is en wanneer het zover is en zij wederom haar lippen heeft gestift en op het punt staat om naar de Vaalgele Pagode te wandelen, wil Oronzo met haar mee. Tiziana wil hem tegenhouden, maar Carmen zegt dat het goed is. Aanvankelijk vindt Tiziana dat raar, maar dan denkt zij de strategie te begrijpen. Een lief kind in het kielzog maakt vanzelf een goede moeder van elke vrouw.

Antonio lijkt nog zenuwachtiger dan bij hun vorige ontmoeting. Het lijkt wel of hij zijn lange gestalte nog magerder probeert te maken in een poging om zich te verbergen in zijn te grote pak en aan de situatie te ontsnappen door onzichtbaarheid te veinzen. Met schokjes van zijn hoofd kijkt hij schichtig om zich heen als een hert op het strand. Het zou kunnen zijn dat hij bang is voor misverstanden nu hij zich realiseert dat zij het zonder de tolkende Tiziana moeten stellen of wellicht interpreteert hij het feit dat Carmen deze keer slechts wordt gechaperonneerd door een knulletje, zoals Venus door Amor, als een verontrustende aanwijzing voor een vorm van belangstelling die hem onzeker maakt. Misschien hoopte hij dat met een gele roos en een onhandige buiging de kous af zou zijn en vreest hij dat zijn repertoire van charmante gestes is uitgeput. Hij nodigt Carmen uit voor een wandeling door de tuin. Hij maakt grote stappen met zijn lange benen, alsof hij er zo snel mogelijk vanaf wil zijn, en de tuin is eigenlijk te klein voor zulke voortvarende passen.

Wanneer ze een moment stilstaan bij een sanseveria in een gebarsten aardewerken vaas, vraagt Carmen naar hun eerste kus. Hij heeft haar Italiaans begrepen. Hij kijkt hulpeloos om zich heen, alsof hij op zoek is naar een andere reden om niet te hoeven antwoorden. Hij vindt er geen. Hakkelend zegt hij dat hun eerste kus op het strand tot zijn warmste herinneringen behoort. Carmen verstaat het goed, omdat het precies is wat hij bij hun vorige ontmoeting zei.

'Op het strand,' zegt Carmen.

'Ja.'

'Bij zonsondergang,' zegt Carmen.

'Het was romantisch.'

'Terwijl we vanaf het strand uitkeken over zee,' zegt Carmen.

'Ik zal het nooit vergeten.'

Carmen kijkt Antonio onderzoekend aan. Hij wendt zijn blik af. Op dat moment komt Oronzo, die een rondje om de villa heeft gerend, vlak bij Carmen staan. Hij grijpt zich vast aan haar rok, kijkt naar Antonio en zegt: 'Als u wilt, kunt u een keer met ons meekomen naar het strand, meneer. Dan kunt u met haar samen zwemmen, want ik zwem niet en zij vindt het leuk om met iemand samen te zwemmen.'

Antonio lacht, alsof hij opgelucht is dat het gespreksonderwerp dankzij Oronzo's kinderlijke onschuld is veranderd alvorens Carmen de kans krijgt om door te vragen over de technische details van hun eerste zoen. 'Dank je wel voor de uitnodiging,' zegt hij tegen Oronzo. 'Ik zou er graag gevolg aan geven, maar ik vrees dat ik weinig kan bijdragen aan jullie waterpret. Ik kan niet zwemmen.'

'U kunt niet zwemmen,' zegt Carmen.

'Ik heb het nooit geleerd. Ik ben bang voor water, of beter gezegd niet zozeer voor water als wel voor de diepte onder water. Het is een soort hoogtevrees, al zou "dieptevrees" een beter woord zijn.' Hij lacht om zijn eigen vondst. 'Overigens mag ik misschien voorstellen dat wij elkaar op grond van ons gedeelde verleden tutoyeren.'

'Wij hebben geen gedeeld verleden,' zegt Carmen. 'U bent mijn Antonio niet. Mijn Antonio klom uit het schuim van de zee op zijn rots als een bronzen godje en hij zweefde voor mijn ogen met zijn meest onverschrokken duik terug de zee in. Met hem zwom ik de hele dag. We hadden onszelf aangeleerd om hand in hand te zwemmen. We vonden geheimen en schatten tussen de rotsen en in de spelonken onder water, zoals een zeester, lipjes van frisdrankblikjes, rondgeslepen stukken groen glas, sepiaschelpen en een zonnebril met één pootje, en onder water heeft hij mij voor het eerst gezoend, niet op het strand. Zoiets vergeet je niet. Heeft Tiziana u geïnstrueerd om uzelf voor te doen als mijn Antonio?'

Hij kijkt naar de neuzen van zijn grote schoenen. 'Ik ben een slechte toneelspeler,' zegt hij.

'Waarom heeft Tiziana u dan uitgekozen?'

'Omdat ik Antonio heet. Het spijt me dat ik u heb teleurgesteld. Het spijt me dat ik tegen u heb gelogen.'

Nu hij zijn slecht ingestudeerde rol en zijn plankenkoorts heeft afgelegd en nu het ongeloofwaardige personage dat hij speelde heeft plaatsgemaakt voor de teleurgestelde en beschaamde acteur, vindt Carmen hem meteen veel sympathieker. 'U deed het niet zo slecht,' zegt ze. 'U was onvolledig geïnformeerd.'

Hij knikt. Nu durft hij haar weer voorzichtig aan te kijken. Hij ziet dat ze glimlacht. 'Bent u niet boos?' vraagt hij.

'Niet op u,' zegt Carmen. Het is waar. In plaats van ontstemd of verontwaardigd omdat er een poging is gedaan haar te bedriegen, is ze eerder trots op zichzelf dat ze het bedrog heeft doorzien en het complot heeft ontrafeld. Zie je wel, het klopt wat ze altijd zegt: hoewel ze soms een zekere naïviteit acteert, omdat dat dingen gemakkelijker maakt, is ze niet achterlijk. Ze doet een stap in Antonio's richting, gaat op haar tenen staan en geeft hem een zoen op zijn wang.

17

'Ze hebben gezoend!' roept Oronzo wanneer ze tegenover de fontein met de boze vis onder de esdoorn en de mispel de met geraniums en klimplanten opgefleurde trap naar Titi's B&B oplopen. 'Ik heb het zelf gezien: ze hebben gezoend!' roept Oronzo wanneer ze Tiziana's keuken in komen. Maar Tiziana is er niet.

Dit geeft Carmen een moment van reflectie dat ze niet nodig heeft. Ze besluit een pot thee te zetten, maar dan ziet ze de geopende fles van de avond daarvoor op het aanrecht staan. Ze kijkt op haar horloge, steekt het gas aan, bedenkt zich, draait het gas weer uit, pakt de fles en een glas, gaat aan de keukentafel zitten en schenkt zichzelf in. Oronzo gaat weer de straat op. Carmen laat hem gaan. Er rijden geen auto's in Monterosso, dus het kan geen kwaad. Nu ze zich plaatsvervangend moeder voelt, heeft ze dit soort gedachten.

Ze moet eraan denken dat ze lang geleden, in een ander leven in een platter land, nadacht over verloren momenten. In romans gebeurt alles altijd met precies het juiste tempo. Consequenties volgen zonder gedraal op de oorzaken, daden liggen in het verlengde van voornemens en de reactie is de echo van de actie. Wanneer de heldin van het verhaal eigenhandig een complot heeft ontrafeld, kan zij daar in het volgende hoofdstuk al mee pronken door de schuldige te confronteren met haar verbijsterend intelligente ontdekking. Het echte leven ontbeert een dergelijke strakke compositie, waardoor daadkracht in het echte leven verwatert. De verloren momenten zijn de nutteloze pauzes in het plot, die ontstaan wanneer de schrijver zijn personages noodgedwongen alleen laat omdat hij moe is of een afspraak heeft met zijn uitgever of zijn manager, en die de heldin zou kunnen vullen met theezetten, maar die vervolgens worden weggespoeld met de barbera van de avond daarvoor, waardoor het vuur blust en de heldin de reden vergeet voor het elan en de drift die haar heldin maken. Zelfs haar Antonio is plaatsvervangend gebleken. De ene keer dat ze zelf een besluit heeft genomen en moedig in haar eentje, zonder Rob, die altijd alles besluit, naar Monterosso is gekomen, moet er kennelijk alsnog iemand anders opstaan om haar belevenissen te ensceneren. Ze is zelfs plaatsvervangend als scriptschrijfster van haar eigen vakantie. De vraag hoe boos ze daarover is, is precies de juiste vraag. Ze zou er geen eenduidig antwoord op kunnen geven.

Ze kijkt naar de gele roos die in een lege wijnfles op de keukentafel staat. Arme Antonio. Zelfs de kleur van de roos is fout. De liefde is rood, zoals het hart op het petje van Oronzo. Ze heeft misschien nog wel meer medelijden met die bedeesde man in zijn grote pak dan met zichzelf. Hij is het ware slachtoffer van Tiziana's machinaties. Waar zou ze zijn? Ze kan niet ver weg zijn. Hoewel de besmettingscijfers volgens Tiziana, die het nieuws daarover elke dag bijhoudt, eindelijk aan het dalen zijn, is het decreet nog steeds onverminderd van kracht, dus zij is wettelijk verplicht om zich binnen een cirkel van tweehonderd meter rond deze keukentafel te bevinden.

Ze wil Rob bellen, maar ze heeft nog steeds geen nieuwe telefoon gekocht en Tiziana heeft de hare uiteraard meegenomen. Zelfs om Tiziana te bellen en te vragen waar ze in hemelsnaam uithangt, zou ze Tiziana's telefoon nodig hebben. Wie kan ze, nu ze toch bezig is, nog meer niet bellen? Het ziekenhuis van Sestri Levante heeft niets meer van zich laten horen, hetgeen waarschijnlijk geïnterpreteerd dient te worden als goed nieuws. Maar wat zou ze moeten doen als Oronzo's oma onverhoopt toch sterft? Daar heeft ze stiekem al over nagedacht. Maar hoewel haar besluit daarover al vaststaat, beseft ze dat Rob dat voor de vorm nog wel goed moet vinden. Misschien zou het verstandig zijn om hem alvast een beetje voor te bereiden op die mogelijkheid. Het zou een grote verandering zijn in hun leven. Het zou eindelijk een verandering zijn.

18

Wanneer Tiziana ongeveer een uur later fladderend, wapperend en zwaaiend met boodschappentassen de keuken overrompelt met haar alomtegenwoordigheid, is Carmens verontwaardiging door de tijd en de barbera inmiddels verdund tot een ironisch lachje dat om haar lippen speelt bij de herinnering aan wat er is voorgevallen.

'Interessant,' zegt ze wanneer Tiziana haar met de plastic tassen nog in haar hand zo neutraal mogelijk vraagt hoe haar ontmoeting was, en door dat antwoord wordt Tiziana's toch al nauwelijks controleerbare nieuwsgierigheid onhoudbaar. Ze kwakt de boodschappen op de keukenvloer en begint Carmen door elkaar te schudden.

'Vertel!' zegt ze. 'Ik wil alles weten.'

'Oronzo heeft hem uitgenodigd om met ons te komen zwemmen.'

'Je vertelt het verkeerd, Carmen.' Tiziana's boosheid is niet geacteerd. 'Je moet het verhaal zorgvuldig opbouwen van inleiding naar climax en met tergende precisie chronologisch vooruit kruipen van aankomst naar conversatie, woord voor woord naverteld met aandacht voor alle relevante bijgedachten, van oogopslag naar gebaar, van verwachting naar vervulling en van banale feitelijkheden naar de droom die uitkomt. Zo moeten verhalen zijn. Je moet me meevoeren met de ondraaglijke spanning naar de siddering van de eerste aanraking. Ik verdien het om het verhaal mee te maken alsof ik erbij was. Je kunt niet zomaar plompverloren een irrelevant detail laten vallen en vervolgens gaan zitten zwijgen met die ergerlijke glimlach rond je valse lippen.'

'Dat was geen irrelevant detail,' zegt Carmen. 'Dat was de hoofdzaak. Daarmee is eigenlijk het hele verhaal verteld.'

'En waarom dan wel?'

'Omdat hij niet kan zwemmen. Dat was de reden waarom hij zich gedwongen zag om Oronzo's invitatie beleefd af te slaan.'

Carmen ziet dat Tiziana begrijpt waarom het problematisch is dat haar uitverkoren Antonio niet zwemt en dat zij razendsnel begint na te denken over een strategie om het verhaal te redden. 'Misschien zei hij dat alleen maar,' zegt ze. 'Hij is immers een heer van een zekere leeftijd, die zichzelf minder gemakkelijk frivoliteiten toestaat dan in de onbezonnen tijd toen jij hem leerde kennen. Dat moet je wel beseffen. Hij had geen zin en heeft bij wijze van smoes onvermogen gefingeerd.' Ze loopt naar het keukenraam en kijkt naar buiten, alsof ze verwacht dat het bewijs voor haar theorie daar ligt opgetast. 'Je moet ook rekening houden met een zeker cultuurverschil,' zegt ze. 'Een Italiaan heeft er moeite mee om een ander teleur te stellen. In Nederland is dat misschien anders, maar een Italiaan beschouwt dat als gezichtsverlies. Dus hij zal de oorzaak van de teleurstelling altijd buiten zichzelf proberen te leggen, zelfs als daarvoor een leugentje nodig is. Geen zin is geen geldige reden en daarom moet er een oorzaak worden bedacht waardoor het objectief onmogelijk is om het verzoek in te willigen.'

'Hij herinnert zich niet dat wij elkaar voor het eerst onder water hebben gezoend.'

'Dat was decennia geleden,' zegt Tiziana. 'Het geheugen is feilbaar.'

'Lieve Tiziana,' zegt Carmen, 'doe geen moeite. Jouw Antonio heeft toegeven dat hij op jouw verzoek mijn Antonio probeerde te zijn.'

Tiziana draait zich om en kijkt een moment naar het plafond. Ze haalt een hand door haar haar en komt vervolgens langzaam en bedachtzaam aan de keukentafel zitten. 'Mag ik?' vraagt ze en zonder het antwoord af te wachten neemt ze een serieuze, volwassen slok barbera uit Carmens glas. Ze haalt diep adem, alsof ze moed verzamelt om te gaan zeggen wat ze nu gaat zeggen, maar bedenkt zich dan. Ze legt haar handen voor zich op tafel en kijkt naar haar nagels. Dan vouwt ze haar beide handen onder haar kin als een actrice in een stomme film. Ze kijkt Carmen waterig aan. Ze wendt haar blik af in de richting van de koelkast, alsof ze zich herinnert dat ze de boodschappen, die ze met een ander en inmiddels achterhaald humeur argeloos op de grond heeft achtergelaten, nog moet opbergen. Ze haalt opnieuw diep adem. Opeens pakt ze Carmens handen over de tafel heen vast met haar beide handen. Ze buigt zo ver voorover als de combinatie van de tafelrand met haar weelderige boezem toelaat en kijkt Carmen aan met een blik die stenen kan doen zweven.

'Alsjeblief, Carmen,' fluistert zij, 'wees niet boos op hem.'

'Maak je geen zorgen,' zegt Carmen.

'Hij kan er niets aan doen. Het was allemaal mijn idee. Hij wilde er aanvankelijk niets van weten, maar je kent mij. Het is moeilijk mij iets te weigeren als ik besloten heb niet toe te staan dat iets mij geweigerd wordt.'

'Ik ken jou,' zegt Carmen.

'Wees boos op mij, niet op hem. Alsjeblieft.'

'Oké.'

'Ben je boos op mij?'

'Dat hang ervan af,' zegt Carmen.

'Dat snap ik.'

'Waarom?' vraagt Carmen.

Tiziana knikt om aan te geven dat ze begrijpt dat die vraag in de onderhavige omstandigheden relevant is. Om tijd te winnen herhaalt ze de vraag: 'Waarom?'

'Ja, dat vroeg ik,' zegt Carmen. 'Waarom?' Ze knijpt zacht in Tiziana's handen om haar aan te moedigen om de vraag ook daadwerkelijk te beantwoorden. 'Waarom heb je deze hele heisa op touw gezet?'

Tiziana zucht. 'Ik begrijp het heel goed dat je boos op mij bent, Carmen. Het was een belachelijk idee van mij om te denken dat jij zo naïef zou zijn om het verhaal te geloven. Je doet soms wel naïef, maar je bent niet achterlijk. Maar ik vond het zo'n prachtig, ontroerend en onweerstaanbaar verhaal, toen jij mij enkele weken, enkele maanden geleden vertelde dat je naar Monterosso was gekomen om tientallen jaren na dato je belofte in te lossen aan je eerste geliefde. Het was een verhaal dat schreeuwde om een happy end, of in ieder geval om een conclusie van welk type dan ook. Ik haat open einden.'

'Ik ook,' zegt Carmen.

'Eerst geloofde ik er echt in dat het mij zou lukken om jouw Antonio voor jou op te sporen. En toen ik na heel erg veel gedoe, dat ik je zal besparen, de Antonio had gevonden die in de villa van Montale werkt, wist ik absoluut zeker dat hij het was en dat ik je zou kunnen verrassen met je jeugdliefde. Maar toen ik hem uiteindelijk te spreken kreeg aan de telefoon, wist ik dat ik zoals gewoonlijk weer eens veel te optimistisch was geweest en dat hij jouw Antonio niet was. Maar ik kon het niet over mijn hart verkrijgen om het daarbij te laten. Ik wilde je zo graag een verhaal cadeau doen, Carmen. Beter een fictief verhaal dan geen verhaal, dacht ik toen. Zodoende. Daarom hem ik hem overgehaald en geïnstrueerd om zich voor te doen als jouw eerste liefde die jarenlang op jou heeft gewacht en die jou nooit is vergeten. Ik was zelf zo ontroerd door mijn eigen verzinsel dat ik er niet meer bij stil heb gestaan dat je het ook bedrog zou kunnen noemen. Ik wilde je een verhaal geven, omdat verhalen belangrijk zijn, dat heb je zelf een keer gezegd, maar ik heb het helemaal verkeerd aangepakt en dat spijt mij.'

'Weet je wat ik er eigenlijk van vind Tiziana?' zegt Carmen zacht.

'Ja,' zegt Tiziana schuldbewust.

'Ik vind het eigenlijk heel lief.'

'Echt waar?'

'Dank je wel dat je dit voor mij hebt willen doen,' zegt Carmen.

'Maar het is mislukt,' zegt Tiziana.

'Dat maakt het verhaal alleen maar mooier,' zegt Carmen. Ze lacht. Tiziana lacht ook, al was het maar uit opluchting vanwege het feit dat Carmen haar mislukte machinaties zo sportief opvat. Carmen vindt het lachwekkend dat Tiziana, hoewel ze besmuikt lacht, nog steeds zo schuldbewust kijkt. Tiziana wordt er vrolijk van dat Carmen zich zo vrolijk om haar maakt. Ze staan op en vallen elkaar schaterend in de armen. Ze doen een mal dansje rond de keukentafel, waarbij ze bijna struikelen over de boodschappentassen, hetgeen ze beiden onweerstaanbaar grappig vinden.

Op dat moment komt Oronzo binnen. 'Waarom dansen jullie?' vraagt hij. 'Zijn jullie aan het trouwen?'

19

In de daaropvolgende dagen tracht Tiziana meermaals telefonisch in contact te komen met een behandelend arts in het ziekenhuis van Sestri Levante om inlichtingen te vragen omtrent de medische toestand van Oronzo's oma, maar als de telefoon op de desbetreffende afdeling al wordt opgenomen, krijgt ze iemand van de verplegende staf aan de lijn die zegt dat hij of zij niet over de gevraagde informatie beschikt en dat het op het moment te druk is om navraag te doen. Tiziana stelt Carmen en Oronzo gerust door te zeggen dat dit klopt. Ze heeft in de krant gelezen dat de noodsituatie in veel ziekenhuizen, ondanks de dalende besmettingscijfers, nog steeds nijpend is en dat het medisch personeel geen tijd heeft om familieleden in te lichten over de toestand van hun dierbaren. Wanneer ze na enkele dagen iemand aan de lijn krijgt die haar telefoonnummer noteert en belooft dat ze zal worden teruggebeld, vieren ze dit als een doorbraak.

Een paar dagen later, wanneer Tiziana toevallig even onder de douche staat, gaat haar telefoon. Carmen ziet op het scherm dat ze wordt gebeld door een niet door haar opgeslagen nummer. Met zekerheid het ziekenhuis. Ze roept Tiziana, maar zij hoort haar niet. Ze zou naar de badkamer kunnen lopen, maar ze is bang dat deze operatie te veel tijd zal vergen en dat ze het langverwachte telefoontje mislopen. Wie weet hoelang ze dan weer moeten wachten totdat ze opnieuw contact krijgen. Ze besluit in haar beste Italiaans op te nemen.

Een vrouwenstem. 'Pronto? Pronto?' Het is niet het ziekenhuis. Nee, dit is wel degelijk het nummer van Tiziana. Carmen heeft de vrijheid genomen in haar plaats te antwoorden omdat ze een belangrijk telefoontje verwacht. Waar Tiziana is? Tiziana is voor een moment verhinderd, maar met wie heeft Carmen de eer? Julia? Giulia. Tiziana's dochter die Milaan woont. Ze heeft een nieuw nummer. En wie Carmen dan wel is?

Carmen schakelt over op het Engels, niet haar idioomloze wereldengels, maar haar echte Engels. 'Je spreekt met de vrouw van de Nederlandse ambassadeur,' zegt ze. 'Ik verblijf bij je moeder, die een goede vriendin van mij is, en ik ben blij je eindelijk te spreken, Giulia. Je moeder heeft me niet veel over je verteld, want kennelijk valt er niet zoveel over jou te vertellen. Je belt haar als je geld nodig hebt en voor het overige negeer je haar, je eigen moeder, en acht je haar een bezoekje onwaardig, omdat je, verblind en ontaard als je bent door je statusbeluste Instagramleventje en door je Milanese cocktails, de kortzichtige en verwerpelijke mening bent toegedaan dat zij provinciaal zou zijn en dat je het recht zou hebben om neer te mogen kijken op haar manier van leven. Ik kan je wel zeggen, Giulia, dat jouw gedrag en jouw houding tot in de hoogste diplomatieke kringen tot verontwaardiging hebben geleid. Zelfs Homerus is in dit verband geciteerd, dat zou genoeg moeten zeggen. Als je niet snel beterschap betoont, zou dat consequenties kunnen hebben voor een eventuele internationale carrière.'

'Homerus?'

'Agamemnon in de onderwereld, dus je zult begrijpen dat de zaak hoog wordt opgenomen. Dit gezegd zijnde rest mij jou mede te delen dat wij hiermee aan het einde zijn gekomen van dit gesprek, dat ik je verzoek om een financiële bijdrage vanzelfsprekend niet aan je moeder zal doorgeven, noch dat je hebt gebeld, en dat de diplomaten en regeringsleiders in de vriendenkring van je moeder jouw toekomst met gering vertrouwen tegemoetzien. Ik hoop dat je me daarmee wilt verontschuldigen, want je moeder en ik worden verwacht voor een informele ronde tafel met de captains of industry. Tot ziens.'

'Wie was dat?' vraagt Tiziana, die in allerhande gekleurde handdoeken gewikkeld de keuken in komt.

'Niemand,' zegt Carmen. 'Verkeerd nummer.'

Precies op dat moment gaat Tiziana's telefoon opnieuw over. Carmen reikt Tiziana haar telefoon aan, die hem na een bepaald filmische worsteling met de gele handdoek die als een tulband om haar natte haren is gewikkeld aan haar oor brengt en bij het horen van de stem aan de andere kant van de lijn een overdreven, maar desondanks volledig geloofwaardig verbouwereerd gezicht trekt.

'Het ziekenhuis?' vraagt Carmen.

Tiziana gebaart zo hevig dat Carmen stil moet zijn dat te vrezen valt voor de blauwe alsmede voor de rood-wit gestreepte handdoek die zij om haar lichaam heeft gedrapeerd. 'Dat is heel erg goed nieuws,' hoort Carmen haar zeggen. 'Dank je wel. Echt. Heel erg bedankt.'

'Dat,' zegt Tiziana nadat ze heeft opgehangen en de telefoon met een triomfantelijk gebaar op de keukentafel heeft geslingerd, 'was Bruno Battistin. We moeten ons onmiddellijk aankleden. Waar is Oronzo?'

'Ik ben al aangekleed,' zegt Carmen. 'En wie is Bruno Battistin?'

'Mijn accountant.'

'Het komt niet vaak voor dat accountants goed nieuws te melden hebben.'

'Hij is de buurman,' zegt Tiziana.

'Dan had hij net zo goed even langs kunnen komen.'

'Niet onze buurman,' zegt Tiziana. 'Hij is de buurman van Oronzo's oma. Ze is vanochtend uit het ziekenhuis ontslagen en zojuist, enigszins verzwakt en vermoeid maar voor het overige in goede conditie, door de broeders van het Groene Kruis thuisgebracht. Bruno Battistin heeft haar ontvangen en geholpen en omdat hij mij kent en weet dat Oronzo bij ons verblijft, heeft hij zichzelf aangeboden om ons van het heuglijke nieuws op de hoogte te brengen.'

20

Oronzo's oma zetelt als een verkreukeld koninginnetje in de voorkamer van haar oude huis in de bovenstad, niet ver van de rotonde. Het zonlicht van de middag valt in strepen door de gesloten luiken op haar popperige gestalte en haar verfrommelde gezicht met lieve, felle, pientere ogen waarvoor niets verborgen blijft. Tussen haar rimpels door loert ze ironisch naar de wereld. Wanneer Carmen, Tiziana en Oronzo binnenkomen, kijkt ze triomfantelijk, omdat ze het gevaarlijke nieuwe virus vanzelfsprekend heeft overleefd, en spottend, omdat sommigen zich blijkbaar geheel ten onrechte zorgen over haar hebben gemaakt. Oronzo rent op haar af, springt bij haar op schoot en slaat zijn beide armpjes om haar gerimpelde nek. Zij lacht en aait hem over zijn rug, alsof ze een opgewonden en blij schoothondje minzaam tot rust wil manen. Over zijn schokkende schoudertjes heen kijkt ze naar Carmen en Tiziana en ze sluit kort haar ogen, zoals alleen oma's dat kunnen doen, als gebaar van diepe erkentelijkheid.

Dan kijkt ze Carmen opeens geconcentreerd aan. Carmen heeft even het gevoel dat het oude vrouwtje dwars door haar heen kijkt. Oronzo's oma begint te glimlachen.

'Ik wist dat je terug zou komen,' zegt ze tegen Carmen. 'Ik heb altijd tegen mijn zoon gezegd dat je weer hier zou zijn wanneer wij jou het meest nodig zouden hebben. Jullie waren zo innig samen, als tweelingen of als geheime waterwezens. Hij is jou nooit vergeten, weet je dat? Natuurlijk weet je dat. Hoe heet je ook alweer? Niets zeggen. Er is niets mis met mijn geheugen. Carmen. Heb ik gelijk? Ja, zie je wel, ik heb gelijk. Ik heb mijn zoon nooit zo gelukkig gezien als die zomer die jullie hand in hand zwemmend hebben laten duren. Misschien zeg ik het verkeerd. Ook later was hij gelukkig, toen hij trouwde en vooral toen Oronzo geboren werd. Je had hem moeten zien. Maar gedurende die zomer met jou was hij compleet. Begrijp je wat ik bedoel? Zo compleet dat hij ongecompliceerd zichzelf durfde te zijn. Ach, hij was nog zo jong toen.'

Carmen kijkt Tiziana aan om zich ervan te vergewissen of wat zij denkt te hebben verstaan niet op een vertaalfout berust, maar Tiziana's verbijsterde blik volstaat voor haar als bewijs voor de aanname dat zij het goed heeft begrepen.

'Was Antonio uw zoon?' vraagt Carmen zacht.

'Ja, ja, hij heette Antonio, net als zijn opa, de vader van wijlen mijn man, de oude schurk, de duivel hebbe zijn ziel. Ze zijn allemaal dood behalve Oronzo en ik. Antonio is lang vrijgezel gebleven en we weten waarom. Uiteindelijk vond hij Kasia, een meisje uit Polen, met wie hij is getrouwd toen zij zwanger was van Oronzo. De grote woorden van liefde werden uitgesproken, maar een jaar na Oronzo's geboorte vertrok de Poolse bruid naar het noorden. Het eerste dat we van haar hoorden, was het bericht, enkele maanden later, dat ze was omgekomen bij een verkeersongeluk, raar genoeg niet in Polen maar in een ander soortgelijk met weemoed ondergesneeuwd land. Daarmee was Antonio de vader en de moeder van Oronzo geworden en hij vervulde zijn opdracht als een heilige. Hij is verdronken bij de grote overstroming van 25 oktober. Hoeveel jaar is dat geleden?'

'Dat was in 2011,' zegt Tiziana.

'En welk jaar is het nu?'

'Dit jaar is het negen jaar geleden,' zegt Tiziana. 'Het is 2020.'

'Wat vliegt de tijd,' zegt Oronzo's oma. 'Het was een dinsdag. 's Ochtends regende het in de bergen. Het was woedende regen, van Bijbelse allure. We hoorden dat de Vara en de Magra buiten hun oevers waren getreden. En toen stroomde het water hier via de rotonde ook Monterosso binnen. Het was geen goed water. Het was oker van nijd. Het zwol en kolkte en was zwaar van modder en afval. Bomen, rotsblokken, meubilair en auto's werden door de stegen gesleurd als kinderspeelgoed. Het ging snel. Oronzo was nog buiten, hier bij mij, vlak voor de deur. Antonio zag het en rende naar buiten om hem naar binnen te halen, maar de stroom had hem al gegrepen en dreigde hem mee te sleuren naar beneden in de richting van de zee. Antonio sprong in het kolkende water en ter hoogte van Tiziana's huis lukte het hem zijn zoontje te bereiken. Terwijl hij zich met één hand vasthield aan de oude, marmeren fontein met de vis, tilde hij Oronzo met de andere uit het water en zette hem boven zich op een stevige tak van de esdoorn. Terwijl hij boven het geweld van het water uit riep dat Oronzo omhoog moest klimmen, verloor hij zijn grip en werd hij meegesleurd. Oronzo werd gered. Antonio's lichaam spoelde een paar dagen later aan op het strand. Hij had een lelijke hoofdwond. Waarschijnlijk was hij al door ronddrijvend vuil buiten westen geslagen voordat hij verdronk.'

'Ik weet niet goed wat ik moet zeggen,' zegt Carmen.

'Ik kan me dat allemaal niet meer herinneren, hè, oma?' zegt Oronzo.

'Nee, gelukkig niet,' zegt zijn oma. 'Je was nog klein.'

'Maar daarom houd ik niet van zwemmen,' zegt Oronzo. 'Ik kan het wel, maar ik doe het alleen als het moet, zoals toen ik jou moest redden, Carmen.'

'Dat heeft Oronzo mij verteld,' zegt Oronzo's oma tegen Carmen. 'Ik had toen al zo'n voorgevoel dat jij dat was.'

'Het spijt me,' zegt Carmen zacht.

'Wat spijt je?' vraagt oma.

'Alles,' zegt Carmen. 'Dat Antonio dood is. Dat ik er niet was. Dat ik mij niet aan mijn belofte heb gehouden. Dat ik niet eerder ben teruggekomen.'

'Wat zeg je nu weer allemaal voor raars, meisje?' zegt oma. 'Je bent je belofte nagekomen en je was hier in Monterosso voor Oronzo, voor Antonio's zoon, precies op het moment dat hij jou nodig had omdat ik elders werd opgehouden. We zijn jou, Carmen, allen dankbaar, Oronzo, Antonio en ik.'

'Het is aardig van u dat u dat zo zegt,' zegt Carmen.

'Het is zo,' zegt Oronzo's oma.

'Er is alleen één ding dat ik nog niet begrijp.'

'Eén ding slechts?'

'Hoe wist u dat ik het was?'

'Wat bedoel je, kind?'

'Dat ik Carmen ben. Dat ik het meisje ben van de onder-waterzoen. Dat Antonio mijn eerste liefde was. Hoe wist u dat?'

Oronzo's oma lacht. 'Ach, meisje, wat een rare vraag. Dat zag ik meteen. Je bent geen spat veranderd.'

21

Op de ochtend van haar vertrek staat Carmen voor dag en dauw op. Ze sluipt het huis uit om Tiziana niet wakker te maken en loopt naar haar strand. Het is nog donker. Ze gaat op de kiezels zitten, slaat haar handen om haar opgetrokken benen, steunt met haar kin op haar knieën en kijkt uit over de zee van inkt onder de zwarte hemel. Zo ziet de wereld eruit als zij is volgeschreven, denkt zij, en als alle verhalen zijn verteld.

Vanuit het oosten, boven de heuvels links van haar, waar-heen zij ooit een hert heeft zien vluchten, begint het te grauwen als de vage belofte van een nieuwe blanco pagina. Langzaam wordt er kleur geverfd op de grijze ondergrond. Er verschijnen vegen lila in de lucht als herinnering aan de blauwe regens, die zich, naarmate zij zich laven aan de warm-te, steeds paarser beginnen voor te doen. De zee draait zich nog eens om in haar slaap en snurkt verwoed verder onder haar gekreukelde, donkere lakens, maar geel en oranje licht begint al te kieren aan haar horizon. Dan verschijnt, van het ene op het andere moment, een brutale rode gloed in het timide pastelpalet en vanaf dat moment is de nieuwe dag, de voortgang van de tijd en van de geschiedenis en de honger naar nieuwe verhalen onontkoombaar. De zee ontwaakt en gaat in het purper op zoek naar haar blauw. Terwijl de hemel in het westen, rechts, boven het kasteel, nog droomt van de nacht, begint de lucht boven de zee te ademen en ruimte te geven aan verten, ambities en daden. Het licht weerkaatst op koperen bazuinen. De zon komt op en het is dag.

Tiziana en Oronzo lopen met Carmen mee naar het station. De rolluiken van de Enoteca Internazionale zijn opgetrokken. Carmens rolkoffertje, waarin zij ook de rode fladderjurk heeft gepropt die Tiziana haar cadeau heeft gedaan, ratelt over de klinkers. Hier en daar worden terrasjes uitgeklapt. De weinige mensen die zij tegenkomen op straat, knipperen onwennig met hun ogen vanwege de vrijheden die hun door het nieuwe decreet voorzichtig weer worden gegund.

'Weet je trouwens wie volgende week komt?' vraagt Tiziana aan Carmen.

'Vertel.'

'Giulia.'

'Je dochter?'

'We mogen met een gerust hart van een wonder spreken.'

'Ik ben blij voor je, Tiziana.'

Ze staan met z'n drieën zwijgend te wachten op het perron. Wanneer de intercity naar Genua Brignole het station binnenrijdt, omhelst Tiziana Carmen.

'Voor een vrouw die zo gewoon denkt te zijn als jij,' zegt Tiziana, 'ben je ongelooflijk bijzonder. Ik zal je missen.'

Carmen zou graag iets citeerbaars terugzeggen, zoals dat

in boeken op dit soort momenten gepast is, maar ze heeft een brok in haar keel, kan niet goed nadenken en zegt dan maar: 'Dank je wel voor alles, Tiziana. Tot snel.'

'Tot snel?'

'Ja,' zegt Carmen zacht. 'Tenslotte zijn we getrouwd.'

'Dat is waar. Dat was ik bijna vergeten.' Tiziana lacht en geeft Carmen een zoen op haar mond. Carmen schrikt er bijna van, maar dan lacht zij ook.

Carmen en Oronzo groeten elkaar niet, want ze weten dat ze in elkaars buurt blijven en dat hun strand op hen zal wachten. Carmen stapt in de trein. Dan bedenkt ze zich. Ze draait zich om en vanaf de treeplank roept ze: 'Ik zal terugkomen, Oronzo.'

'Beloof je dat?' vraagt Oronzo.

'Dat beloof ik,' zegt Carmen. 'En je weet dat ik mij aan mijn beloften houd.'

22

Bij gate 4 van de internationale luchthaven Cristoforo Colombo van Genua ziet Carmen de onontkoombare en onomstotelijke gestalte van Ilja Leonard Pfeijffer. Zelfs voor een tripje met een KLM Cityhopper heeft hij zich uitgedost in een pak met al zijn regaliën. Hij ziet haar niet. Hij is te druk met zijn espresso en met het negeren van het gewone volk. Wanneer de gate opent en de passagiers voor vlucht KL1566 naar Amsterdam mogen instappen, loopt hij met zijn zonnebril op geroutineerd aan de rij voorbij om opzichtig zijn Gold Card-privileges te laten gelden en als een van de eersten de balie te passeren. Carmen ziet het hoofdschuddend aan. Zij wacht rustig haar beurt af, sjokt achter de massa aan en zoekt haar stoel. Zij heeft 11D, met extra beenruimte bij de nooduitgang, rechts aan het gangpad. En wie zit er pontificaal ingesnoerd rechts bij de nooduitgang aan het raampje op stoel 11F? Ze kan het niet geloven. Ze zit naast hem.

Hij herkent haar niet. Hij kijkt haar niet eens aan. Beter zo. Wat zou ze hem te vertellen moeten hebben? Je kunt een van de zelfverklaarde exponenten van de hedendaagse Europese literatuur evenmin lastigvallen met je vakantieverhalen als je een concertpianist kunt verblijden met jouw versie van de vlooienmars en in Carmens geval zijn de verse vakantiebelevenissen het beste dat zij in huis heeft, want over haar leven dat daaraan voorafging is zij nog sneller uitgepraat. Het vliegtuig taxiet naar de startbaan. Zij pakt het onboardmagazine uit de stoelzak om het met onverschilligheid door te bladeren en zich daarmee een onverschillige houding aan te meten. Hij heeft zijn zonnebril nog steeds op en lijkt in gedachten verzonken. Dat doet hij toch wel goed, moet zij toegeven, die air van sereniteit en autonomie, alsof hij wil uitstralen dat een groot man aan zijn eigen gedachten genoeg heeft. Het is nauwelijks voor te stellen dat zij en hij, zoals ze hier door het toeval naast elkaar zijn gezet, ooit min of meer naast elkaar in dezelfde schoolbanken hebben gezeten met hetzelfde blanco schrift voor zich waarin hun toekomst nog helemaal moest worden geschreven.

Wanneer de wielen van het toestel loskomen van de aarde, voelt Carmen een leegte in haar maagstreek, die deels is toe te schrijven aan de werking van de zwaartekracht en deels aan het besef dat ze het contact met Italië, Monterosso, Tiziana, Oronzo en haar leven als tijdelijke, plaatsvervangende moeder aan zee is kwijtgeraakt. De quarantaine, die voor velen een onwelkom oponthoud voor hun ambities vormde, is voor haar een tijdelijke bevrijding geweest van de normaliteit die ze continu zo dapper het hoofd probeert te bieden. Mag ze dat zo denken? Ze heeft de leeftijd bereikt waarop het haar niet meer kan schelen of dat mag en waarop ze ongegeneerd denkt wat er te denken valt. Terwijl het vliegtuig klimt, probeert ze uit het raampje te kijken of ze Monterosso kan zien, maar de grote schrijver zit ervoor met zijn volle hoofd en al die haren.

Nederland doemt op aan de horizon van haar gedachten. Ze zou liegen als ze zou zeggen dat ze Rob meer heeft gemist dan haar sherryvoorraad onder de trap, maar enigszins tot haar eigen verbazing moet ze toegeven dat ze zich erop verheugt om hem weer te zien. Hij is niet de bondgenoot gebleken in eindeloze avonturen voor wie ze hem aanvankelijk met haar door romantisch wensdenken vervormde blik had gehouden, maar een bondgenoot in verveling is nog altijd beter dan geen bondgenoot. En bovendien moet ze toch aan iemand vertellen wat ze in Monterosso heeft meegemaakt? Als je het niet vertelt, bestaat het niet. Dat zou een mooie titel kunnen zijn voor een nieuwe lezingenreeks in de Openbare Bibliotheek. Daar moet ze de komende tijd beter over nadenken, want alles moet anders, zoveel is haar duidelijk.

Boven de Alpen houdt ze het niet meer. 'Meneer Pfeijffer?' zegt ze. 'Sorry dat ik u stoor. Ik heb er alle begrip voor dat u dat niet meer weet, maar wij kennen elkaar.'

Het lijkt alsof hij ontwaakt uit een dutje. 'Uw gezicht kwam mij al bekend voor,' zegt hij. 'Kunt u mij helpen? Waar precies was het ook alweer dat ik het genoegen heb mogen smaken?'

'In de Openbare Bibliotheek van L***,' zegt Carmen.

'Inderdaad,' zegt hij. 'Nu weet ik het weer. Maar dat is lang geleden, is het niet?'

'Eigenlijk niet,' zegt Carmen. 'Het was dit voorjaar, tijdens de Boekenweek, vlak voordat het virus uitbrak.'

'U heeft gelijk,' zegt hij. 'Dat was een van mijn laatste optredens. Ik ben vereerd dat u naar mij bent komen luisteren.'

'Ik was de gastvrouw,' zegt Carmen, 'de organisatrice, zeg maar. Ik heb de evaluatieformulieren nog niet gezien, maar ik ben er zeker van dat het oordeel over het algemeen positief was. Ik kreeg veel enthousiaste reacties na afloop.'

'Dat is goed om te horen,' zegt hij. Hij knikt haar vriendelijk toe ten teken dat de conversatie wat hem betreft tot een bevredigend einde is gebracht.

'U heeft over mij geschreven,' zegt Carmen. Ze heeft het gezegd voordat ze zich heeft kunnen afvragen of ze het wel wilde zeggen.

'Pardon?'

'We hebben bij elkaar in de klas gezeten op de Petrusschool in R***. In uw memoires behandelt u die periode en in dat verband schrijft u over het mooiste meisje van de klas, op wie alle jongens verliefd waren en u volgens mij ook een beetje. U hebt de naam veranderd, maar ik heb mezelf herkend. U noemt ook de straat waar ik toen woonde. Ik weet dat mijn huidige voorkomen een schandvlek is op uw herinnering, maar dat ben ik dus.'

'Monique,' zegt hij. Hij zet zijn zonnebril af. 'Ben jij Monique?'

'Monique?'

'Je woonde op het Jacob Hamelinkpad,' zegt hij, 'dat weet ik nog. En verdomd, het klopt, ik heb dat opgeschreven. Het is een onverwacht genoegen je op tien kilometer boven de Alpen weer tegen te komen, Monique. Ik kan je verzekeren dat je niets bent veranderd.' Hij geeft haar een hand.

'Ik ben Carmen,' zegt Carmen.

'Carmen,' herhaalt de schrijver nadenkend.

'Ik woonde ook op het Jacob Hamelinkpad. Ik kan mij Monique nog herinneren. Zij woonde een paar huizen verderop. Dus zij was het die schoolzwemmen zin gaf.'

Ze ziet dat de schrijver beseft dat het pijnlijke misverstand met geen mogelijkheid ongedaan gemaakt kan worden. Ze ziet hem naar woorden zoeken om het leed te verzachten, maar hij krijgt de kans niet om iets te zeggen, want zij begint onbedaarlijk te lachen. Ze kan het niet helpen. Ze valt ten prooi aan een lachbui die hysterische trekken heeft. Het echtpaar op de stoelen 10D en 10F kijkt geërgerd achterom, hetgeen haar alleen maar harder aan het lachen maakt. De schrijver zit er gegeneerd een beetje naast te glimlachen, wat ze eveneens onweerstaanbaar grappig vindt. Ze schudt schaterend op en neer in haar stoel, klapt voorover, botst met haar hoofd tegen de rugleuning van stoel 10D, hapt naar adem en lacht.

'U zult zich wel afvragen waarom ik lach,' zegt Carmen tegen de schrijver wanneer ze eindelijk weer in staat is om iets te zeggen.

'Inderdaad.'

'Omdat,' zegt ze lachend, 'omdat dankzij dit misverstand duidelijk is geworden dat alles op een misverstand berust. Als ik u niet had uitgenodigd voor een lezing, was u niet in mijn bijzijn over Monterosso begonnen. Als u niet over Monterosso was begonnen, zou ik nooit op het idee gekomen zijn om te gaan. Als ik niet was gegaan, zou ik Tiziana en Oronzo nooit hebben ontmoet en zou ik nooit geweten hebben wat er met mijn allereerste geliefde is gebeurd. Dan zou ik het verhaal niet hebben meegemaakt dat mij voor het eerst sinds heel lange tijd het idee geeft dat ik iets zinvols heb gedaan. Maar het hele verhaal begint ermee dat ik u heb uitgenodigd, dat ik heel erg mijn best heb gedaan om u uit te nodigen, dat ik mij ondanks de horden die uw manager opwierp met vasthoudendheid tot het uiterste heb ingespannen om u uit te nodigen, omdat ik ervan overtuigd was dat u mij bedoelde toen u uw woorden liet glanzen voor het mooiste meisje van de klas en schoolzwemmen.'

Vervolgens vertelt ze hem het hele verhaal. Hij luistert aandachtig, wat ze aardig van hem vindt. Het vliegtuig is al aan de daling begonnen, wanneer ze zegt: 'Ongetwijfeld wordt u wel eens lastiggevallen door mensen die beweren dat ze zoveel hebben meegemaakt in hun leven dat u er wel een roman over zou kunnen schrijven.'

'Dat gebeurt vaker dan u denkt,' zegt hij.

'Ik wil niet dat u denkt dat ik zo ben,' zegt ze. 'Als ik al de overmoed had om u de suggestie aan de hand te doen dat u mijn verhaal vertelt, wat niet zo is, dan zou dat om precies de tegenovergestelde redenen zijn. Ik heb in mijn leven zo weinig opzienbarends meegemaakt of tot stand gebracht dat ik daar wel eens een boek over zou willen lezen. Ik heb over de wereld gereisd zonder de wereld te zien, ik heb tennisballen in een net geslagen en sherry ontdekt, ik ben zomaar opeens oud geworden zonder daar moeite voor te doen en toen ben ik ten gevolge van een misverstand op vakantie geweest aan zee, hetgeen welbeschouwd geen kiezel op het strand van zijn plaats heeft gebracht, gesteld dat dat mijn bedoeling zou zijn geweest en gesteld dat ik er de vrouw naar zou zijn om bedoelingen te hebben. Dat is het hele verhaal en tenzij alles verandert, wat niet zo is, zal alles vanaf morgen weer precies zo zijn zoals het was. Probeer daar maar eens een vingerhoedje betekenis van te destilleren, als u mij de alcoholistische metafoor vergeeft. Ik begrijp het wel dat er geen boeken bestaan over vrouwen zoals ik.'

'U heeft u aan uw belofte gehouden,' zegt hij. 'Dat heeft betekenis.'

'Maar Antonio heeft daar niets aan gehad,' zegt Carmen.

'Toch is het een waardevolle les,' zegt hij. 'Ik zal hem ter harte nemen. Ook ik zal mij aan mijn belofte houden.'

'Welke belofte?' vraagt Carmen.

'Dat het niet voor niets is geweest,' zegt de schrijver. 'Dat het zal bestaan omdat het verteld zal worden.'

Van ILJA LEONARD PFEIJFFER
verscheen onder meer:

PROZA

Rupert. Een bekentenis (De Arbeiderspers 2002, roman)
Anton Wachterprijs, Gerard Walschapprijs,
genomineerd voor de Debutantenprijs.

Het grote baggerboek (De Arbeiderspers 2004, roman)
Tzumprijs, genomineerd voor de AKO Literatuurprijs
en voor de Gouden Uil.

De filosofie van de heuvel. Op de fiets naar Rome
(De Arbeiderspers 2009, 2020, reisverslag)
Genomineerd voor de Socrates Wisselbeker.

La Superba (De Arbeiderspers 2013, roman)
Libris Literatuur Prijs, Inktaap, Tzumprijs,
de vijfjaarlijkse prijs van de Koninklijke Academie
voor Nederlandse Taal- en Letterkunde,
genomineerd voor de AKO Literatuurprijs
en de Gouden Boekenuil.

Brieven uit Genua (Privé-domein 282,
De Arbeiderspers 2016, autobiografie)

Peachez, een romance (De Arbeiderspers 2017, roman)
Genomineerd voor de Libris Literatuur Prijs.

Grand Hotel Europa (De Arbeiderspers 2018, roman)
Roman van het jaar 2019 volgens *Trouw*-lezers,

bestverkochte Nederlandse boek 2019,
Gouden Boek CPNB, genomineerd voor de Libris
Literatuur Prijs en de NS Publieksprijs.

Quarantaine (Privé-domein nr. 313,
De Arbeiderspers 2020, autobiografie)

POËZIE

De man van vele manieren. Verzamelde gedichten 1998-2008
(De Arbeiderspers 2008, gedichten)

Giro giro tondo. Een obsessie (CPNB 2015,
Poëzieweekgeschenk)

Idyllen. Nieuwe poëzie (De Arbeiderspers 2015,
gedichten) VSB Poëzieprijs, Jan Campertprijs,
Awater Poëzieprijs, E. du Perronprijs.

TONEEL

De veelstemmige man. Verzameld toneelwerk 2007-2020
(De Arbeiderspers 2020) Taalunie Toneelschrijfprijs
voor *De advocaat*.

Voor een complete bibliografie zie iljapfeijffer.com

GENIETEN
VAN EEN BOEK
DOE JE
IN DE TREIN

Reizen met de trein is tijd voor jezelf. Tijd om te verdwijnen in een goed boek bijvoorbeeld. Want in de trein kun je je reistijd invullen zoals jij wilt. Waar ga jij naartoe vandaag?

SPECIAAL VOOR JOU

NS ondersteunt jaarlijks drie campagnes van Stichting Collectieve Propaganda van het Nederlandse Boek (CPNB): de Boekenweek, de Kinderboekenweek en de NS Publieksprijs. Om de Boekenweek dit jaar te vieren hebben wij, als hoofdsponsor, iets leuks voor je.

Scan de QR-code of ga naar **ns.nl/boekenweekactie**.